中原工学院学术专著出版基金资助

快速噪声诊断技术

——HELS方法的理论及工程应用研究

杨瑞梁 著

黄河水利出版社

图书在版编目(CIP)数据

快速噪声诊断技术——HELS方法的理论及工程应
用研究/杨瑞梁著. —郑州:黄河水利出版社,2006.9
　　ISBN 7－80734－127－0

　　Ⅰ.快…　Ⅱ.杨…　Ⅲ.噪声－诊断技术－研究
Ⅳ.TB53

中国版本图书馆 CIP 数据核字(2006)第 102863 号

策划组稿:王路平　电话:0371－66022212　E-mail:wlp@yrcp.com

出　版　社:黄河水利出版社
　　　　　　地址:河南省郑州市金水路 11 号　　邮政编码:450003
发行单位:黄河水利出版社
　　　　　　发行部电话:0371－66026940　　　传真:0371－66022620
　　　　　　E-mail:hhslcbs@126.com
承印单位:黄河水利委员会印刷厂
开本:850 mm×1 168 mm　1/32
印张:6
字数:150 千字　　　　　　　　　印数:1—1 200
版次:2006 年 9 月第 1 版　　　　 印次:2006 年 9 月第 1 次印刷

书号:ISBN 7－80734－127－0/TB·15　　　　　定价:15.00 元

前　言

噪声污染已成为举世瞩目的一大公害,采取相适应的现代技术控制噪声,乃是环境保护和劳动保护工作者所面临的重要任务之一。但噪声污染又不同于其他类型的污染,要进行噪声控制,达到治标治本的目的,必须首先研究噪声的发生机理。鉴于在不影响声源的情况下测量声源表面声振情况的实验方法比较困难,因此研究噪声发生机理,就需要根据声场中较易测量的较少声场信息,来快速、准确地确定出整个声场或声源表面的声振信息,HELS 方法就是这样一种快速噪声诊断方法。

HELS 方法是把声场中声压转化为一系列线性无关的球谐函数叠加,然后,使用最小二乘法,根据已知的噪声信号来重建声源表面的振动情况。其实质是寻找一个在整个声场领域都通用的、极为简单的声压函数,并要求当声场确定时,此声压函数只与位置有关。因此,只要测量声场中较少点的声学信息,通过这种方法就能快速、高效地重建出整个声场的声学信息或是声源表面的振动情况,该方法重建声场高效、简单、灵活,并且没有边界元方法在特征波数不唯一的缺点。通过适当选择,该方法的计算精度和计算效率都可以很高,并且应用方便。因此,该方法在快速噪声诊断的工程实际中很值得推广。

本书详细介绍了这种方法的理论推导过程,并通过多种观点推广了这种方法。通过具体实例，分析了这种方法及推广方法的精度与精度的影响因素，在此基础上，界定了各种方法的适用范围。本书使用这些方法模拟了一些工程实际中可能遇到的一些问题。在本书的最后部分，详细分析了HELS方法的一些局限性，并据此提出了一些相应的对策。在HELS方法的基础上，提出了更适合工程实用的快速噪声诊断技术。

　　本书是作者对硕士学位毕业论文的进一步总结和充实，部分内容是作者攻读硕士学位期间的科研成果。在此，向作者的导师姜哲教授表示感谢。本书的编写，注重吸收国际上最新的研究成果，并通过作者自己的理解，由浅入深，详细地展现出来。其中的大部分内容为作者近5年来对HELS方法的研究成果汇集。

　　由于本人的水平和经验有限，书中难免存在疏漏和不足之处，恳请读者批评指正。

　　本书的编写，得到了家人、领导和同事的关心、帮助和热情支持，在此谨表示感谢！

作　者
2006年7月于郑州

目 录

前 言
第1章 绪 论 ……………………………………… (1)
1.1 声辐射问题 ………………………………… (1)
1.2 声辐射逆问题 ……………………………… (3)
1.3 快速噪声诊断 ……………………………… (5)
1.4 本书的研究目的和主要内容 ……………… (7)
第2章 HELS 方法 …………………………………… (8)
2.1 声辐射逆问题 ……………………………… (8)
2.2 HELS 方法的一般计算模型 ……………… (9)
2.3 使用球谐函数作为独立函数 ……………… (13)
2.4 使用柱波函数作为独立函数 ……………… (20)
2.5 使用点源作为独立函数 …………………… (24)
2.6 使用偶极子源作为独立函数 ……………… (32)
2.7 用长旋转椭球函数作为独立函数 ………… (37)
2.8 小 结 ……………………………………… (41)
第3章 HELS 方法求解精度分析 ………………… (43)
3.1 球谐函数精度分析 ………………………… (43)
3.2 柱波函数精度分析 ………………………… (47)
3.3 点源的精度分析 …………………………… (49)
3.4 偶极子源的适用范围 ……………………… (59)
3.5 二维声源声辐射逆问题精度分析 ………… (64)
3.6 小 结 ……………………………………… (73)

第 4 章　HELS 方法仿真计算与工程应用 ……………………（76）

　　4.1　故障诊断与噪声源分析……………………………（76）

　　4.2　相位分析……………………………………………（84）

　　4.3　声环境设计…………………………………………（88）

　　4.4　声源控制……………………………………………（92）

　　4.5　HELS 方法的实际应用 ……………………………（96）

　　4.6　小　结………………………………………………（103）

第 5 章　HELS 方法局限性分析 ……………………………（106）

　　5.1　局限性的提出 ………………………………………（106）

　　5.2　局限性分析 …………………………………………（111）

　　5.3　小　结………………………………………………（117）

第 6 章　HELS 方法的推广 …………………………………（119）

　　6.1　方法原理 ……………………………………………（119）

　　6.2　计算实例 ……………………………………………（123）

　　6.3　小　结………………………………………………（126）

第 7 章　总结与展望…………………………………………（128）

　　7.1　总　结………………………………………………（128）

　　7.2　展　望………………………………………………（132）

附录一　球函数和柱函数的一些基本公式…………………（133）

附录二　柱函数的图和表……………………………………（136）

附录三　球函数的图和表……………………………………（152）

附录四　勒让德多项式的图和表……………………………（168）

附录五　长旋转椭球函数……………………………………（175）

参考文献………………………………………………………（180）

第 1 章　绪　论

当物体受振动后,在弹性媒质中以波动的形式向外传播,当传到人耳能引起音响的感觉,则这种受振动物体称为声源,在弹性媒质中传播的波称为声波。声波存在的空间称为声场。一个受振动而发声的声源和它形成的声场之间的相互作用问题一般可归纳为声辐射问题和声辐射逆问题。

1.1　声辐射问题

弹性物体、激励力和弹性媒质形成一个声辐射系统。弹性物体受激励力振动会激励周围的媒质质点振动,由于媒质质点的可压缩性,周围的媒质质点就产生交替的压缩和膨胀过程并向外传播,这个过程被称为声波的传播。有关声波传播的问题就称为声辐射问题。

对上述声辐射问题的研究主要有三种方法:几何声学方法、统计声学方法和波动声学方法。

几何声学方法借鉴几何光学理论,假设声音沿直线传播,并忽略其波动特性,通过计算声音传播中能量的变化及反射到达的区域进行声场模拟。这种方法计算精度不高,而且高阶反射和衍射的计算量巨大,然而原理简单,易于理解。

统计声学方法是从能量的角度,研究在连续声源激发下声能密度的增长、稳定和衰减过程(即混响过程)。这种方法主要研究波长非常小、在某一频率范围内简正振动方式很多、频率分布很密时、忽略相位关系、只考虑各简正振动方式的能量相加问题。

上述两种方法忽视了声音的波动特性,因此无法对声波的波动特性进行模拟,如声波的衍射、绕射等。在低频段,声波的波长较长,能够越过高频声波不能越过的障碍物,因此上述两种方法求解低频声学问题时比较困难。工程实际中,一般把上述两种方法结合起来对实际的声辐射问题进行近似的设计计算。例如,在建筑声学设计中,可以使用几何方法计算早期反射,而使用统计模型来计算后期混响。

波动声学方法用波动的观点研究声学问题。弹性媒质中的声场可以用波动方程在特定条件下的解来描述。这种波动方程能够揭示声场的本质,可以阐述几何声学方法和统计声学方法的适用范围以及解释一些满足特定声场条件而出现的声学过程。本书研究的 HELS 方法属于波动声学方法的范畴。

一般研究的声辐射问题是已知振动物体的表面振速来确定物体的表面声压和声场特性。如果使用波动声学的方法,对大多数的表面形状比较复杂的振动声源难以求解辐射声场的解析解,因此需要使用数值方法来求解这类问题。

最初,研究学者使用差分法,按差分格式离散以获得数值解;还有学者按问题的特点,采用里兹法或伽辽金法等近似方法来获得近似解,这些近似方法总有这样或那样的缺点而不能令人满意。

20 世纪 50 年代问世的有限元法简单直观、易于掌握,而且适用范围广、数值精度较高,但它和有限差分法一样,需要大量的内存和计算时间。最初这种方法局限于形状不太复杂或比较规则声源的声场分析;并且,应用这种方法来求解自由空间的声辐射问题的另一个缺点是无限的外部领域必须通过有限的领域来近似,而这种由于假定而造成的误差很难消除。近年来,不少学者提出了多种解决办法。

60 年代有些学者开始使用边界元法[1]来研究声辐射问题。相对于以前的方法,边界元法求解声辐射问题的主要优势是:它基于一个数学逻辑公式,也就是 Helmholtz 积分方程,此方程自动满足 Sommerfeld 无穷远辐射边界条件,另外,问题的维数减少 1,这些使得边界元法的计算量大大降低。目前,边界元法的数学理论日益完善,应用范围日益拓宽,并且有许多功能齐全的边界元法通用程序包。经典边界元法的缺点是某些频率下,方程的解不唯一。为解决这一问题,许多学者提出了改进方法。

无限元法,是基于声辐射 Helmholtz 微分方程,应用于物体表面的外部领域的半无限表面。近 10 年来,无限元在声学中应用的研究极为活跃,新的研究分支不断出现和完善。目前,无限元的应用已扩展到众多领域,其涉及范围包括:电、磁、声、水动力学、弹性力学、量子力学、黏弹塑性力学、弹性媒质中的波、表面波、固体、地质、热、光、微波、振动、流体结构耦合、动态弹性问题、时域问题等。关于该方法的较详细介绍请参阅文献[2]、[3]。

还有一些学者提出了其他的一些数值计算方法,如波叠加法[4~7],本书与这一方法有一定的关系。同时还有一些学者把不同的数值方法联系起来求解声辐射问题,取得较满意的效果。

1.2 声辐射逆问题

仅仅研究声辐射问题并不能满足工程应用的需要。例如,在工程实践中,经常要求根据事先提出的声场要求来设计声源;在进行低噪声优化设计时,同样经常根据需要寻找所能达到的声场效果和花费代价之间的最佳权衡;在实际声学环境中,有时需要根据声场情况分析出某一待分析声源表面的情况,为对声源进行适当处理做准备。

此类问题被 Turchin 等[8]归类为"声辐射逆问题",它们的共同特点是:声场已知而声源未知。逆问题作为一个广泛的研究课题已经持续了几十年,并且有详细的文献介绍,但对声辐射逆问题的研究相对较晚。

20 世纪 80 年代中期,最初的学者开始通过近场全息和快速傅立叶变换组合的一般近场全息方法来重构平面源表面声场[9~11]、柱表面源声场[12,13]、封闭声源的几何表面声场[14]以及任意形状的声源[15]。在上述算法的基础上,Sarkissian 提出的实函数算法[16~18]同时适用于近场和远场全息。张德俊等在这种方法的理论和实验研究上也做了一些工作[19~21]。

使用有限元法来求解声辐射逆问题,需要对整个边界进行离散,计算量较大,因此这种方法仅见运用于低频较小空腔声源或可以测得微粒振速的声源[22]。

进入 90 年代以来,有些学者开始使用边界元法[23~27]来研究表面形状不规则的声源的声辐射逆问题。Chao[28]使用最小二乘法通过使与积分方程相关联的误差最小以近似重构源表面声场。Gardner 和 Bernhard[29]运用边界元方法来求解一个空腔内的声辐射逆问题,得出的重构误差与外部问题的重构误差是同样阶次的。张桃红等[30]使用全特解场边界元法来求解声辐射逆问题,用脉动球来验证,结果比较理想。

1997 年,Wang 等提出使用 HELS 法[31~40],把声场中声压转化为球谐函数的叠加,然后使用最小二乘法,根据已知的噪声信号来重建声源表面的声压。HELS 法实质上是寻找一个在整个声场领域都通用的、极为简单的声压函数,并要求当声场确定时,此声压函数只与位置有关。该方法重建声场高效、简单、灵活,并且没有边界元方法的特征波数不唯一的缺点。Wu 等[32,36]认为:HELS 法能够计算低频的球状声源的声场重建情况,计算高频误差则较大。1998 年,Wu 等[32]把这种方法应用于重建长、宽、高比约为1:1:1的物体的声源内部声场,并且也给出了在低频下部分振动柱的声场重建。2000 年、2001 年,Wu 等[33~35]分别使用模拟计算和实验研究对 HELS 法进行了验证。2002 年,Wu 等[37]通过联立 HELS 法和边界元方法中的边界积分公式,根据声场中较少的测量点,就可以重构出任意形状声源的声场。该快速噪声诊断方法迄今为止已获得 3 项美国专利[38~40]。由于这种方法仅需要声场中较少的测量点就能达到重构声场的目的,计算效率极高,因此很有可能在工程实际中得到较为广泛的应用。本书将在后面章节详细介绍、拓宽、分析这种新方法。

总之,对声辐射逆问题的研究虽然起步较晚,但已取得了长足的进展。

1.3 快速噪声诊断

当工程机械在运行过程中,在其表面产生振动信号的同时,也往往激发噪声信号。而当其产生故障时,其噪声品质也会发生改变,因而利用噪声信号可以对机器故障进行诊断。实际上,在工厂的质量检验中,有经验的技术人员通过监听机器的噪声能大致判断机器是否存在影响其使用寿命的各种故障。目前在很多工业制造企业,"听声音,找故障"是工人的一项很重要的技能。

过去几十年中,出现了许多方法来处理这类问题。其中一种方法叫做声场空间转化方法,这种方法使用平面近场声全息方法来重构辐射声压场。然而,使用平面近场声全息方法,限制了声场空间转化方法只能用于两个平面之间,并且测量点必须在一个平面上等距离分布,而且测量缝隙必须大到足够装下一个能在 45°角度内旋转的预设声源。这些限制严重地制约声场空间转化方法在工程中的应用,因为实际结构的表面经常是曲面,并且结构辅助部件的存在可能会反射声音或者辅助部件同测量声源的位置相重合而导致测量不能进行。因此,人们经常强迫使测量远离结构一定的位置,以避免这些障碍。这样,由于输入数据中近场信息的丢失而导致重构结果的准确性受到影响。

另一种方法是基于近场声全息方法的 Helmholtz 积分理论。这种方法目前处于理论研究阶段,还没有应用于工业生产中,主要是因为这种方法严重依赖空间形状,并且要求测量点必须取在研究声源周围的完全封闭表面上。为了避免重构中的混淆现象,在声压场中,每个波长至少取样两次,测量点的数量必须与声源表面离散点的数量相当。而对于像发动机前部这样的复杂结构,表面离散点很容易达到成百上千个,并且由于对测量点的位置没有限制,包围声源表面的大量被测点很容易使重构过程缓慢而且花费代价昂贵。

而 HELS 方法仅需要测量声场中较少的声压,就可以较为准确、高效地重构出声场中其他点,特别是声源表面的声振情况。因此,HELS 方法在快速噪声诊断领域具有很高的研究和推广价值。

国内近年来关于噪声诊断的文献集中于从被环境噪声污染的声音信号中提取有效的信号特征。例如文献[55]提出了一种发动机噪声故障诊断的新方法。该方法在分析故障产生机理和噪声信号特征的基础上,构造一种新型的小波——指数衰减型小波函数,应用它对发动机噪声信号进行处理,提取表征故障的间歇性撞击声音信号特征。文献[56]以双谱分析理论为基础,分析并计算了车辆减振器不同振动信号的选择双谱。文献[57]针对噪声的不同情况,采取不同的措施和方法来降低液压齿轮油泵噪声。文献[58]针对国产电动机听觉上感到噪声偏高的问题,选择某型号电动机进行了噪声测试,采用对数自功率谱、倒频谱和小波分析等方法进行了分析,找出了人的听阈不悦的几个高谱峰位置。文献[59]提出了基于小波包和模糊聚类分析的连杆轴承故障的噪声诊断方法,在 EQ6100 型发动机上预先模拟连杆轴承故障,根据发动机故障时变、非平稳的特点,运用小波包对发动机噪声信号进行特征提取并削减了背景噪声的影响。

可以看出,国外学者在噪声诊断领域集中于理论研究工作,而国内学者则集中于噪声诊断的信号提取和工程应用工作。本书将详细研究 HELS 方法这种新型的快速噪声诊断技术的理论研究和工程应用。

1.4 本书的研究目的和主要内容

传统的噪声诊断技术不能满足很多工程实践快速、廉价的要求。于是,很多研究学者开始研究快速噪声诊断技术。本书顺应这一潮流,详细介绍快速噪声诊断新技术——HELS 法,然后将这种方法推广,并应用于工程实践上的快速噪声诊断过程中。该方法的主要优点是:通过适当选择,计算精度和计算效率都可以很高。仅需要在声学现场使用声学测量仪器测量较少点的声学信息,就可以快速、高效地重构出声源表面或其他声场点的声学信息。因此,该方法相对于传统的快速噪声诊断技术,节省了大量的时间和费用。并且,该方法原理简单,应用方便,适宜推广。

本书研究的主要内容包括:

(1)详细介绍传统 HELS 方法。包括这种方法理论推导情况,并使用球谐函数作为独立函数的传统 HELS 方法求解了脉动球、摆动球和局部振动球的声辐射逆问题。

(2)推广传统的 HELS 方法。分别使用柱波函数、点源、偶极子源、长旋转椭球函数代替球谐函数作为独立函数,并通过例子验证了各种选择方法的合理性。

(3)分别讨论了上述各种方法的精度,以及精度的影响因素和适用范围。通过具体实例分析了各种方法特定条件下的精度影响因素,在此基础上,界定了各种方法的适用范围。

(4)HELS 方法的应用研究。使用 HELS 方法求解一些工程实例,来研究这种方法在工程应用中的可行性。

(5)HELS 方法的局限性研究。研究 HELS 方法理论上的局限性,并提出一些相应的对策。

(6)拓展 HELS 方法。在 HELS 方法的基础上,和其他一些方法联合,来形成更为适合工程实用的快速噪声诊断技术。

第 2 章　HELS 方法

前面已经提到,声辐射逆问题就是基于已知声场寻找声源有关性质的问题。声辐射逆问题的一个很常见的例子,就是基于声场中可以测量到的声压信号来确定声源的表面特性。本章就这一问题做一定的探讨。

本章将详细介绍用于求解声辐射逆问题的 HELS 方法的基本原理,使用球谐函数作为独立函数的 HELS 方法首先求解了一些球状声源的实例,并分别使用柱波函数、点源、偶极子源、长旋转椭球函数代替球谐函数作为独立函数,然后使用新的 HELS 方法来求解一些实例。

2.1　声辐射逆问题

当弹性媒质的某局部区域因某种原因激发一扰动时,由于媒质的弹性和惯性作用,这种最初的扰动就由近及远地传播,形成声场,最初激发扰动的物体就是声源。显然,声源的振动性质是影响声场特性的主要因素,声源发生变化,声场也会跟着变化;同样,如果已知声场发生了变化,也可以认为是声源表面振动情况发生了变化。如果要求根据声场的特性来确定声源的振动情况,这类问题就是前面所述的声辐射逆问题。为求解声辐射逆问题,就必须深入地研究声源和声场之间的对应关系。

设无限均匀媒质中,振动物体(即声源)的表面为 S,声源内部表示为 D^+,声源外部表示为 D^-,振动表面某一点的外法向矢量表示为 n_S,如图 2-1 所示,则声辐射 Helmholz 微分方程为:

$$\nabla^2 P + k^2 P = 0 \tag{2-1}$$

式中：P 表示声场中某一点的声压；k 表示波数，$k = \omega/c$，其中 ω 为角频率，c 为声速；∇^2 表示 Laplace 算子。

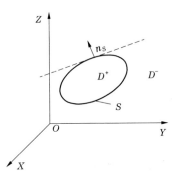

图 2-1 声场区域示意图

式(2-1)适用于声场中任意点(包括声源表面)。

在自由声场中，声场中声压满足 Sommerfeld 无穷远辐射边界条件：

$$\lim_{r \to \infty}\left[\, r\left(\frac{\partial P}{\partial r} + ikP\right)\right] = 0 \qquad (2\text{-}2)$$

式中：r 表示声场中某点离声源中心坐标(这个概念并非十分精确)的距离；i 表示虚数符号，$i^2 = -1$。

常研究的是 Nermann 问题，其中的边界条件由 Euler 方程给出：

$$\frac{\partial P}{\partial n_S} = -ik\rho v \qquad (2\text{-}3)$$

式中：$\dfrac{\partial P}{\partial n_S}$ 表示对声源表面某点的声压外法向求导；ρ 表示媒质密度；v 表示某点的表面振速。

如果在式(2-3)中，已知声源表面振速，来求解声场中的声压分布，这类问题就是前面所说的声辐射问题；同样，已知声场中声压，声源表面振速未知，这类问题就归类为声辐射逆问题。

2.2 HELS方法的一般计算模型

Wang 等[31]指出，声场中(包括声源表面)任一点的声压能够用一组独立函数 ψ_i 的线性组合来表示：

$$P(x) = \rho c \sum_{i=1}^{N} C_i \psi_i(x) \qquad (2\text{-}4)$$

Liberstein 等[41]指出：当项数 $N \to \infty$ 时，P 趋于声场声压的真值。式中：P 为声场中点 x 的声压；C_i 为系数权重；独立函数 $\psi_i(x)$ 线性无关，它的选择原则[31]是：

(1) ψ_i 满足微分方程式(2-1)和边界条件式(2-2)，但不满足边界条件式(2-3)；

(2) ψ_i 不满足微分方程式(2-1)，但满足边界条件式(2-2)，其中 ψ_i 满足边界条件式(2-3)，ψ_2，ψ_3…满足齐次的边界条件；

(3) ψ_i 满足边界条件式(2-2)，但既不满足微分方程式(2-1)，也不满足边界条件式(2-3)。

独立函数仅需满足上述条件之一。为使独立函数的项数较少，HELS 的独立函数的选择原则一般为(1)。

独立函数取法一定时，若已知系数权重 C_i 的值，则可求得声场中任一点的声压；同样地，如果已知声场中某些点的声压，可以通过求解系数权重 C_i，进而可求得声源的表面声压和表面振速，从而达到求解声辐射逆问题的目的。下面来详细讨论这种方法的基本原理。

2.2.1　独立函数的正交化

尽管选取的独立函数 $\psi_i(x)$ 线性无关，且满足微分方程式(2-1)和边界条件式(2-2)，但其并不满足边界条件式(2-3)。在某些情况下，例如选择的独立函数为球谐函数，而声源形状为椭球面，为使该独立函数能够更为合理地模拟声源的表面形状，此时需要通过 Gram-Schmidt 正交化的方法求得更为合理的独立函数：

$$\chi_{n+1} = \psi_{n+1} - \sum_{i=1}^{n} (\psi_{n+1}, \psi_i^*) \psi_i^* \qquad (2\text{-}5)$$

其中，$(\psi_{n+1}, \psi_i^*) = \int_{\partial B} \psi_i \psi_j^* \, \mathrm{d}s$，$\psi_i^* = \chi_{n+1}/(\chi_{n+1}, \chi_{n+1})^{1/2}$，声源表

面为 ∂B,这样获得的 χ_{n+1} 正交于原表面。

需要说明的是,如果必须进行正交化处理,将大幅度增加求解的计算工作量,从而降低这种方法的优越性。因此,本书不鼓励采用正交化的方法来取得独立函数。也就是说,要尽量根据声源的形状选取合适的独立函数,而不是使用某一类独立函数去求解任意形状的声源所形成的声辐射逆问题。

2.2.2　声辐射逆问题的计算模型

已知声场中 M 个点(本书以下称为测量点)的声压:

$$P(x_i) = P_{Oi} \quad (i = 1, 2, \cdots, M) \tag{2-6}$$

式中:x_i 表示第 i 个测量点。

如果按照前面独立函数的选择原则,选择了一组 $N(N \leqslant M)$ 个线性无关的独立函数,则可从式(2-4)得到:

$$\begin{bmatrix} \psi_{11} & \psi_{12} & \cdots & \psi_{1N} \\ \psi_{21} & \psi_{22} & \cdots & \psi_{2N} \\ \vdots & \vdots & & \vdots \\ \psi_{M1} & \psi_{M2} & \cdots & \psi_{MN} \end{bmatrix} \begin{Bmatrix} C_1 \\ C_2 \\ \vdots \\ C_N \end{Bmatrix} = \begin{Bmatrix} P_{O1} \\ P_{O2} \\ \vdots \\ P_{OM} \end{Bmatrix} \tag{2-7}$$

式中:ψ_{MN} 表示第 N 阶独立函数在第 M 个测量点的值。

为书写方便,式(2-7)中每个 $C_i(i = 1, 2, \cdots, N)$ 包含了式(2-4)中的 ρc。通过最小二乘法来求解上式,得:

$$\begin{Bmatrix} C_1 \\ C_2 \\ \vdots \\ C_N \end{Bmatrix} = ([\psi_{MN}]^{\mathrm{T}}[\psi_{MN}])^{-1}[\psi_{MN}]^{\mathrm{T}} \begin{Bmatrix} P_{O1} \\ P_{O2} \\ \vdots \\ P_{OM} \end{Bmatrix} \tag{2-8}$$

由于式(2-4)中,取 $\psi_i(x)$ 为线性无关的独立函数,它非奇异,故 C_i 值可以唯一确定。把式(2-8)代入式(2-4),就可以得到声场中任一点的声压:

$$P(x) = \left\{ \psi_1(x) \quad \psi_2(x) \quad \cdots \quad \psi_N(x) \right\} \times$$

$$([\psi_{MN}]^{\mathrm{T}}[\psi_{MN}])^{-1}[\psi_{MN}]^{\mathrm{T}} \begin{Bmatrix} P_{O1} \\ P_{O2} \\ \vdots \\ P_{OM} \end{Bmatrix} \qquad (2\text{-}9)$$

式中：$\psi_i(x)$ 表示第 i 阶独立函数在声场中任一点的 x 值。

式(2-9)同样也适用于声源表面，因此可用来根据声场中的声压信息来确定声源表面任一点的表面声压。

$$P(x_S) = \left\{ \psi_1(x_S) \quad \psi_2(x_S) \quad \cdots \quad \psi_N(x_S) \right\} \times$$

$$([\psi_{MN}]^{\mathrm{T}}[\psi_{MN}])^{-1}[\psi_{MN}]^{\mathrm{T}} \begin{Bmatrix} P_{O1} \\ P_{O2} \\ \vdots \\ P_{OM} \end{Bmatrix} \qquad (2\text{-}10)$$

式中：$\psi_i(x_S)$ 表示第 i 阶独立函数在声源表面任一点 x_S 的独立函数值。

应用式(2-3)可求得 x_S 点的表面振速：

$$v(x_S) = -\frac{1}{\mathrm{i}\omega\rho} \left\{ \frac{\partial \psi_1(x_S)}{\partial n_S} \quad \frac{\partial \psi_2(x_S)}{\partial n_S} \quad \frac{\partial \psi_N(x_S)}{\partial n_S} \right\} \times$$

$$([\psi_{MN}]^{\mathrm{T}}[\psi_{MN}])^{-1}[\psi_{MN}]^{\mathrm{T}} \begin{Bmatrix} P_{O1} \\ P_{O2} \\ \vdots \\ P_{OM} \end{Bmatrix} \qquad (2\text{-}11)$$

式中：$\dfrac{\partial \psi_i(x_S)}{\partial n_S}$ 表示对 x_S 点的第 i 阶独立函数外法向求导。

因此，如果已知声场声压分布，可以根据式(2-10)、式(2-11)来确定声源表面的声辐射情况。

这样，声辐射逆问题的计算步骤就可简化为：

(1)按照选择原则选取一组线性无关的独立函数 $\psi_i(x)$；

(2)在声场中,选择一定数目的测量点,确定其声压值;

(3)根据式(2-10)及式(2-11)来求解声辐射逆问题。

2.3　使用球谐函数作为独立函数

本节将取球谐函数作为独立函数,来求解声辐射逆问题。

2.3.1　独立函数的选择

化方程(2-1)为球坐标的形式,得:

$$\frac{1}{r^2}\frac{\partial}{\partial r}\left(r^2\frac{\partial P}{\partial r}\right) + \frac{1}{r^2\sin\theta}\frac{\partial}{\partial\theta}\left(\sin\theta\frac{\partial P}{\partial\theta}\right) + \frac{1}{r^2\sin^2\theta}\frac{\partial^2 P}{\partial\varphi^2} + k^2 P = 0$$

$$(2\text{-}12)$$

式中:r、θ、φ 表示球坐标。

假设方程可分离变量,则通过分离变量后可解得:

$$
\begin{aligned}
P(r,\theta,\varphi) = \sum_{l=0}^{\infty}\sum_{m=0}^{l} P_l^m(\cos\theta) \times [B_l h_l^{(2)}(kr) + \\
B_{l2} h_l^{(1)}(kr)] \times [A_\varphi\cos(m\varphi) + B_\varphi\sin(m\varphi)]
\end{aligned}
$$

$$(2\text{-}13)$$

其中 $P_l^m(\cos\theta)$ 为缔合勒让德多项式:

$$P_l^m(\cos\theta) = \frac{(1-\cos^2\theta)^{m/2}}{l!2^l}\frac{d^{l+m}}{d\cos^{l+m}\theta}(\cos^2\theta - 1)^l$$

$$(l = 0,1,2,\cdots; m = 0,1,2,\cdots,l) \qquad (2\text{-}14)$$

$h_l^{(1)}(kr)$ 和 $h_l^{(2)}(kr)$ 分别表示第一类和第二类 l 阶球亨格尔函数,它们是球贝塞尔函数和球诺埃曼函数的线性组合,分别代表一自球心向内会聚的反射波和一自球心向外发散的前进波,其中 $h_l^{(1)}(kr) = j_l(kr) - n_l(kr)\times i, h_l^{(2)}(kr) = j_l(kr) + n_l(kr)\times i$,式中 $j_l(kr)$ 表示球贝塞尔函数,$n_l(kr)$ 表示球诺埃曼函数。

选取独立函数时,可以尽可能地选取简单的形式,只要保证选取的独立函数线性无关,同时,考虑到球亨格尔函数中的球诺埃曼函数在 $r=0$ 时,没有实际意义,故只保留球贝塞尔函数,又考虑到任何声场中点的独立函数不应全为 0。因此,取 $B_\varphi = \mathrm{i}$, $B_l = 1$, $B_{l2} = 0$,最终,选取的独立函数为:

$$\psi_i = P_n^m(\cos\theta) j_n(kr) [\cos(m\varphi) + \mathrm{i} \times \sin(m\varphi)] \qquad (2\text{-}15)$$

其中,n 取非负整数,m 取不大于 n 的非负整数。

2.3.2　实例验证

以下为用于实例验证的几个理论公式。

(1)脉动球的声场声压和表面声压的理论计算公式:

$$P = -\frac{\mathrm{i} \times k \times \rho \times c \times v \times a^2}{r(1 - \mathrm{i} \times k \times a)} \mathrm{e}^{\mathrm{i} \times k \times (r-a)} \qquad (2\text{-}16)$$

$$P(a) = \frac{\mathrm{i} \times k \times \rho \times c \times a \times v}{1 - \mathrm{i} \times k \times a} \qquad (2\text{-}17)$$

式中:r 表示计算场点距脉动球球心的距离;a 表示脉动球的半径。

式(2-16)是脉动球声场声压的计算公式,式(2-17)是脉动球表面声压的计算公式。

(2)摆动球的声场声压和表面声压的理论计算公式:

$$P = -\left(\frac{a}{r}\right)^2 (v\cos\theta) \frac{\mathrm{i}\rho cka(1 - \mathrm{i}kr)}{2 - (ka)^2 - \mathrm{i}2(ka)} \times \mathrm{e}^{\mathrm{i}k(r-a)}$$

$$\qquad (2\text{-}18)$$

$$P(a) = (v\cos\theta) \frac{\mathrm{i}\rho cka(1 - \mathrm{i}ka)}{2(1 - \mathrm{i}ka) - (ka)^2} \qquad (2\text{-}19)$$

式中:r 表示计算场点距摆动球球心的距离;a 表示摆动球的半径;θ 为摆动的方向与计算场点及摆动球球心连线的夹角。

式(2-18)是摆动球声场声压的计算公式,式(2-19)是摆动球表面声压的计算公式。

(3)如果局部振动球的表面振速分布为:

$$v = \begin{cases} v & 0 \leqslant \theta \leqslant \theta_0 \\ 0 & \theta_0 \leqslant \theta \leqslant \pi \end{cases} \qquad (2\text{-}20)$$

则局部振动球的声场声压理论计算公式为:

$$P = \sum_{l=0}^{\infty} B_l P_l(\cos\theta) h_l^{(2)}(kr) \tag{2-21}$$

式中：

$$B_0 = \frac{1}{2}\rho_0 c_0 v(1 - \cos\theta_0) e^{i\delta_0(kr_0)} \tag{2-22}$$

$$B_l = \rho_0 c_0 \frac{v[P_{l-1}(\cos\theta_0) - P_{l+1}(\cos\theta_0)]}{2D_l(kr_0)} e^{i\delta_l(kr_0)} \quad (l > 0) \tag{2-23}$$

上式中设

$$\frac{\mathrm{d}}{\mathrm{d}z}[j_l(z) - i \times n_l(z)] = -iD_l(z)e^{-i\delta_l(kr_0)} \tag{2-24}$$

式中：θ 为声场中点在球坐标中的一坐标；θ_0 为一定坐标。

下面将分别使用脉动球、摆动球和局部振动球来验证球谐函数为独立函数的 HELS 方法。

2.3.2.1　脉动球

（1）已知脉动球的半径、无量纲频率和声场声压分布，来计算表面振速。

有关计算参数：球声源的半径 a，声波无量纲频率为 $ka = 0.1$，此算例中选择 8 项球谐函数作为一组线性无关的独立函数，在声场中选择 8 个测量点（$F_1 \sim F_8$）的声压，其中 $\varphi = 0$，θ 从 0 均匀变化到 180°（不包括 180°），测量点所在球面的半径为 $2a$，测量点的位置和声压值如表 2-1 所示。

表 2-1　已知测量点的位置和声压值

测量点		F_1	F_2	F_3	F_4	F_5	F_6	F_7	F_8
测量点 球坐标	θ	0	22.5	45	67.5	90	112.5	135	165.5
	φ	0							
	r	$2a$							
测量点声压		$(9.868\,0\text{E}-006 - 4.876\,3\text{E}-005\text{i})a\rho c$							

表面点的选择和测量点的选法相同,只是其所在球面的半径为 a 。

理论的表面振速为0.001 m/s(即球声源为脉动球),所计算的8个表面点的表面振速均为(0.001 0 − 0.000 0 i)m/s。因此,计算值和理论值吻合良好。

(2)上面计算的例子中,使用的无量纲频率为固定的。如果变换无量纲频率,结果会如何呢? 下面来分析这种情况。脉动球、测量点、表面点、独立函数的选取与(1)相同,把表面振速为0.001 m/s时计算得到的测量点的声压作为已知值,无量纲频率 ka 从 0 变化到 20,则表面点 S_1 计算的和理论的无量纲声压如图 2-2和图 2-3 所示。

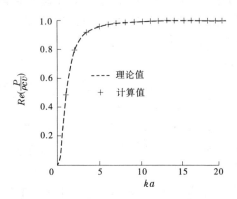

图 2-2　无量纲声压实部随无量纲频率的变化

从图 2-2 和图 2-3 上可以看出,计算值和理论值吻合良好,这说明选择独立函数为球谐函数,可以计算脉动球的声辐射逆问题。

2.3.2.2　摆动球

(1)如果球声源半径、无量纲频率、测量点的位置、表面点、独立函数的选择和 2.3.2.1(1)相同,假设表面振速为 $0.001\cos\theta$ m/s(此时,球声源为摆动球),先根据理论公式计算出测量点的声

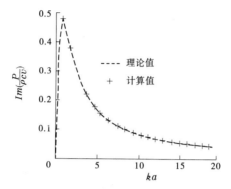

图 2-3　无量纲声压虚部随无量纲频率的变化

压值,以此作为已知值再根据式(2-11)计算表面振速。

测量点和表面点的选择和 2.3.2.1 相同。

计算的和理论的表面振速如表 2-2 所示。从表 2-2 中可以看出,计算值和理论值吻合良好。

表 2-2　摆动球计算的和理论的表面振速

表面点	S_1	S_2	S_3	S_4
表面振速计算值 (10^{-3} m/s)	1.000 0 + 0.000 0 i	0.923 9 + 0.000 0 i	0.707 1 + 0.000 0 i	0.382 7 + 0.000 0 i
表面振速理论值 (10^{-3} m/s)	1	0.923 9	0.707 1	0.382 7
表面点	S_5	S_6	S_7	S_8
表面振速计算值 (10^{-3} m/s)	0.000 0 + 0.000 0 i	− 0.382 7 − 0.000 0 i	− 0.707 1 − 0.000 0 i	− 0.923 9 − 0.000 0 i
表面振速理论值 (10^{-3} m/s)	0	− 0.382 7	− 0.707 1	− 0.923 9

(2)如果让无量纲频率 ka 发生变化(仅 k 发生变化,a 不发生变化),来计算表面点 S_1 的无量纲声压随之的变化,结果如图2-4 和图2-5 所示。

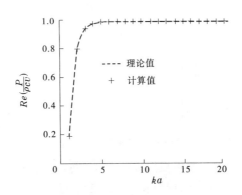

图 2-4　无量纲声压实部随无量纲频率的变化

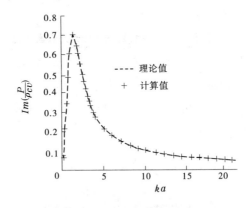

图 2-5　无量纲声压虚部随无量纲频率的变化

从图2-4 和图2-5 可以看出,计算值和理论值吻合良好。这说明使用球谐函数作为独立函数,可以求解摆动球的声辐射逆问题。

2.3.2.3　局部振动球

球声源的半径 a,无量纲频率为 $ka = 0.1$,媒质密度 ρ 为 1.2 kg/m³,声速为 341 m/s,为计算方便起见,设表面振速

$$v = \begin{cases} 0.001 & 0 \leqslant \theta < \dfrac{\pi}{8} \\ 0 & \text{其他} \end{cases}$$

(单位为 m/s)(此时,球声源为局部振动球),根据理论公式计算出测量点声压值并作为已知值,再根据式(2-11)反算表面振速。

此模型稍微复杂,因此计算时必须取较多的独立函数和测量点。此算例中取 100 项独立函数和 100 个测量点($F_1 \sim F_{100}$),测量点均匀地分布在一半径为 $2a$ 的球面上,其中 $\varphi = 0$,θ 从 0 均匀变化到 180°(不包括 180°)。另外,也取了 100 个表面点($S_1 \sim S_{100}$),θ 也是从 0 均匀变化到 180°(不包括 180°)。

计算的和理论的表面振速如表 2-3 所示。

表 2-3　局部振动球计算的和理论的表面振速

表面点	S_1	S_2	S_3	S_4
表面振速计算值 (10^{-3} m/s)	0.910 2 + 0.000 0 i	1.025 6 + 0.000 0 i	0.982 6 + 0.000 0 i	1.013 5 + 0.000 0 i
表面振速理论值 (10^{-3} m/s)	1	1	1	1
表面点	S_5	S_6	S_7	S_8
表面振速计算值 (10^{-3} m/s)	0.988 8 + 0.000 0 i	1.009 7 + 0.000 0 i	0.991 3 + 0.000 0 i	1.008 0 + 0.000 0 i
表面振速理论值 (10^{-3} m/s)	1	1	1	1

续表 2-3

表面点	S_9	S_{10}	S_{11}	S_{12}
表面振速计算值 (10^{-3} m/s)	0.992 2 + 0.000 0 i	1.008 1 + 0.000 0 i	0.990 1 + 0.000 0 i	1.016 6 + 0.000 0 i
表面振速理论值 (10^{-3} m/s)	1	1	1	1
表面点	S_{13}	S_{14}	S_{15}	S_{16}
表面振速计算值 (10^{-3} m/s)	0.932 0 + 0.000 0 i	0.067 7 + 0.000 0 i	0.015 7 + 0.000 0 i	0.008 3 + 0.000 0 i
表面振速理论值 (10^{-3} m/s)	1	0	0	0
表面点	S_{17}	S_{18}	S_{50}	S_{100}
表面振速计算值 (10^{-3} m/s)	− 0.005 8 + 0.000 0 i	0.004 6 + 0.000 0 i	0.001 2 + 0.000 0 i	0.005 5 + 0.000 0 i
表面振速理论值 (10^{-3} m/s)	0	0	0	0

由表 2-3 可以看出,除表面点 S_1 和表面点 S_{13}外,其他表面点的计算值和理论值吻合情况都较为理想,即使表面点 S_1 和表面点 S_{13},其计算误差也可容忍。也就是说,使用独立函数为球谐函数,可以近似求解局部振动球的声辐射逆问题。

2.4　使用柱波函数作为独立函数

本节将取一简单的柱波函数作为独立函数,来求解声辐射逆问题。

2.4.1 声辐射模型

把式(2-1)化为柱坐标的形式:

$$\frac{\partial^2 P}{\partial r^2} + \frac{1}{r}\frac{\partial P}{\partial r} + \frac{1}{r^2}\frac{\partial^2 P}{\partial \phi^2} + \frac{\partial^2 P}{\partial z^2} + k^2 P = 0 \qquad (2-25)$$

运用分离变量法解式(2-25)得:

$$P = \sum_{i=1}^{\infty}(A_z e^{i \times k_z \times z} + B_z e^{-i \times k_z \times z}) \times [A_\phi \cos(m\phi) + B_\phi \sin(m\phi)]$$
$$\times [A_m H_m^{(1)}(k_r r) + B_m H_m^{(2)}(k_r r)] \qquad (2-26)$$

式中: z, r, ϕ 表示柱坐标; $k_r^2 + k_z^2 = k^2$;第一阶柱亨格尔函数 $H_m^{(1)}(k_r r)$ 和第二阶柱亨格尔函数 $H_m^{(2)}(k_r r)$ 都是柱诺埃曼函数和柱贝塞尔函数的线性组合,分别表示一自中心轴向外发散的前进波和一向中心轴会聚的反射波。

选择独立函数时同样可以选择较简单的形式,只要保证其线性无关。故选取的函数为:

$$\psi_i = [\cos(m\phi) + i \times \sin(m\phi)] \times H_m^{(1)}(kr) \qquad (2-27)$$

其中, m 取非负整数。

2.4.2 验证分析

圆柱声源产生的声场声压的理论公式:

$$P = \frac{i\rho c}{2\pi}\sum_{m=0}^{\infty}\frac{\varepsilon_m H_m^{(1)}(kr)}{H_m^{(1)}(ka)}[A_m \sin(m\phi) + B_m \cos(m\phi)] \qquad (2-28)$$

式中:

$$\begin{cases} A_0 = 0 \\ A_m = \frac{\varepsilon_m}{2\pi}\int_0^{2\pi} v_n(\phi)\sin(m\phi)\mathrm{d}\phi \quad (m = 1,2,3,\cdots) \\ B_m = \frac{\varepsilon_m}{2\pi}\int_0^{2\pi} v_n(\phi)\cos(m\phi)\mathrm{d}\phi \quad (m = 0,1,2,\cdots) \end{cases} \qquad (2-29)$$

式中: ε_m 为诺曼系数,其中 $\varepsilon_0 = 1$,当 $m > 0$ 时, $\varepsilon_m = 2$ 。

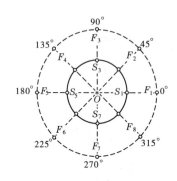

图2-6 柱横剖面图和柱表面节点、声场测量点的划分（其中 $z = 0$）

2.4.2.1 无限长脉动圆柱

（1）已知一无限长圆柱声源的半径和声场声压分布，来计算表面点的无量纲声压随无量纲频率的变化。

有关计算参数：圆柱半径为 a，选取 8 个测量点，如图2-6 所示，沿垂直于圆柱中心轴的圆面均匀取（图中用 $F_i (i = 1, \cdots, 8)$ 表示），它们的 $z = 0$，距圆柱中心轴的距离等于 $2a$。为计算简单起见，把表面振速为 0.001 m/s 时（此时柱声源为脉动柱），计算出测量点的声压作为已知值。

选取 8 项独立函数，根据式(2-10)来计算。计算时，无量纲频率取为图中表面点 S_1 的 $\dfrac{P}{\rho c v}$，其中 P 为表面声压，v 为表面振速，无量纲频率为 ka，k 表示波数。由图2-7、图2-8 可以看出，计算的无量纲声压在很宽的频率上与理论结果吻合良好。

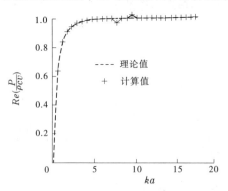

图2-7 无量纲声压实部随无量纲频率的变化

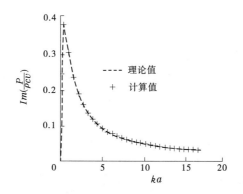

图 2-8　无量纲声压虚部随无量纲频率的变化

(2)根据式(2-10)可计算出表面任一点的表面振速。取 8 个 $z=0$ 的表面点,如图 2-6 所示,沿垂直于中心轴的圆柱面均匀取(图中用 $S_i(i=1,\cdots,8)$ 点表示)。它们的表面振速理论值为 0.001 m/s,当无量纲频率 ka 为 0.1 时,表面这 8 个点计算的表面振速均为 $(0.001\ 0+0.000\ 0\ i)$ m/s。计算的表面振速值与理论的表面振速值吻合良好。

因此,使用独立函数为柱波函数,可以用来求解无限长脉动圆柱的声辐射逆问题。

2.4.2.2　无限长摆动圆柱

(1)一无限长圆柱声源,如果已知声场中声压分布,求声源表面的表面声压和表面振速。

为验证上面选择的独立函数正确性,选取无限长圆柱为摆动声源,并把表面振速分布为 $0.001\cos\phi$ m/s 时,根据声学理论公式(2-28)、式(2-29)计算出的声场的声压分布作为已知值,圆柱半径、独立函数、测量点的选取均与 2.4.2.1 中(1)相同,则根据式(2-9)计算出声源表面点 S_1 的无量纲声压随无量纲频率的变化,和根据声学理论公式计算的结果相比较,结果同图 2-7、图 2-8 所示。

由图上可以看出,计算的无量纲声压在很宽的频率上与理论值吻合良好。

(2)根据式(2-10)可计算出表面任一点的表面振速。表面点的选取和 2.3.2.1 中相同,它们的表面振速理论值为 $0.001\cos\phi$ m/s,当无量纲频率 ka 为 0.1 时,这 8 个表面点的表面振速计算值和理论值如表 2-4 所示。

表 2-4　摆动圆柱计算的和理论的表面振速

表面点	S_1	S_2	S_3	S_4
表面振速计算值 (10^{-3} m/s)	1.000 0 + 0.000 0 i	0.923 9 + 0.000 0 i	0.707 1 + 0.000 0 i	0.382 7 + 0.000 0 i
表面振速理论值 (10^{-3} m/s)	1	0.923 9	0.707 1	0.382 7
表面点	S_5	S_6	S_7	S_8
表面振速计算值 (10^{-3} m/s)	0.000 0 + 0.000 0 i	− 0.382 7 − 0.000 0 i	− 0.707 1 − 0.000 0 i	− 0.923 9 − 0.000 0 i
表面振速理论值 (10^{-3} m/s)	0	− 0.382 7	− 0.707 1	− 0.923 9

从表 2-4 可以看出,计算的表面振速与理论的表面振速完全吻合。因此,使用独立函数为柱波函数,可以求解无限长摆动圆柱的声辐射逆问题。

2.5　使用点源作为独立函数

本节将取点源作为独立函数,来求解声辐射逆问题。

2.5.1　独立函数的选择

如图 2-9 所示,选取声源内任一点 Q(以后章节称之为源点),

则它与已知声场中任一点 ζ（称为场点，包括测量点和表面点）的自由空间格林函数（为方便起见，除去常数）满足微分方程(2-1)，对三维声源取 $\dfrac{\mathrm{e}^{ikr(Q,\zeta)}}{r(Q,\zeta)}$，二维声源取为 $H_0^{(1)}(kr(Q,\zeta))$，其中 $r(Q,\zeta)$ 为场点 ζ 和源点 Q 的距离，$H_0^{(1)}(kr(Q,\zeta))$ 为汉克函数，因此它也适于作为独立函数。下面来进行探讨。

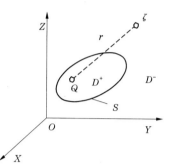

图 2-9　声场区域示意图

$$\psi_i = \begin{cases} \dfrac{\mathrm{e}^{ikr(Q,\zeta)}}{r(Q,\zeta)} & \text{三维声源} \\[2mm] H_0^{(1)}(kr(Q,\zeta)) & \text{二维声源} \end{cases} \tag{2-30}$$

为避免奇异性，选择源点为声源内部的点。选择若干源点，也就选择了一组线性无关的独立函数。

2.5.2　检验模型

下面将使用球声源作为三维声源，无限长柱状声源作为二维声源来验证上面提出的计算模型。

2.5.2.1　脉动球

（1）一球声源，半径、辐射声波频率和声场声压分布已知。可以根据提出的计算模型来计算出表面任一点的表面振速，然后和由理论公式计算出的这些点的表面振速相比较。

有关计算参数：半径为 0.03 m，辐射声波频率为 600 Hz，媒质密度为 1.2 kg/m³，声速为 341 m/s，把表面振速为 0.001 m/s 时（此时球声源为脉动球）计算出的测量点的声压值作为已知值，然后根据公式(2-10)来反算表面点的表面振速。

测量点共 32 个，它们都在半径为 0.06 m 的球面上，沿纬度均匀划分为 6 份,沿经度均匀划分为 6 份,其划分如图 2-10 所示。

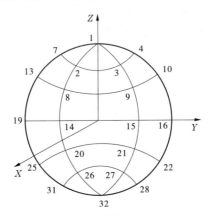

图 2-10 脉动球的测量点划分

源点和选取的表面点也都是 32 个,分别在半径为 0.01 m、0.03 m的球上。它们的划分方法和测量点的划分方法相同。

理论的表面振速为 0.001 m/s,所计算的 32 个表面点的表面振速均为 (0.001 0 − 0.000 0 i) m/s。因此,计算值和理论值吻合良好。

(2)在上面例子中,如果让无量纲频率 ka 发生变化(仅 k 发生变化,a 不发生变化),其他条件和(1)相同,再来根据式(2-9)来计算表面点 18 的无量纲声压的变化,结果与图 2-2、图 2-3 所示相同。从图上可以看出,计算值和理论值吻合良好。

上面计算说明使用点源为独立函数的 HELS 方法,可以求解脉动球的声辐射逆问题。

2.5.2.2 摆动球

在 2.5.2.1 的例子中,把表面振速为 $0.001\cos\theta$ m/s 时(此时球声源为摆动球)计算出的测量点声压值作为已知值,然后根据声辐射逆问题计算模型来计算表面点的表面振速。

表面点的表面振速的计算值和理论值如表 2-5所示。

表 2-5　摆动球计算的和理论的表面振速

表面点	1	2	4	8
表面振速计算值 $(10^{-3}$ m/s)	1.000 0 + 0.000 0 i	0.866 0 + 0.000 0 i	0.866 0 + 0.000 0 i	0.500 0 − 0.000 0 i
表面振速理论值 $(10^{-3}$ m/s)	1	0.866	0.866	0.5
表面点	13	16	19	23
表面振速计算值 $(10^{-3}$ m/s)	0.500 0 − 0.000 0 i	0.000 0 + 0.000 0 i	0.000 0 + 0.000 0 i	− 0.500 0 + 0.000 0 i
表面振速理论值 $(10^{-3}$ m/s)	0.5	0	0	− 0.5
表面点	25	27	30	32
表面振速计算值 $(10^{-3}$ m/s)	− 0.500 0 + 0.000 0 i	− 0.866 0 + 0.000 0 i	− 0.866 0 + 0.000 0 i	− 1.000 0 + 0.000 0 i
表面振速理论值 $(10^{-3}$ m/s)	− 0.5	− 0.866	− 0.866	− 1

　　在上面的例子中,如果让无量纲频率 ka 发生变化(仅 k 发生变化,a 不发生变化),再根据式(2-9)来计算表面点 18 的无量纲频率随无量纲声压的变化,结果如图 2-11、图 2-12 所示。

　　上面的计算说明了使用点源作为独立函数的 HELS 方法,可以求解摆动球的声辐射逆问题。

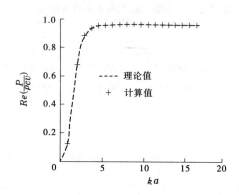

图 2-11　无量纲声压实部随无量纲频率的变化

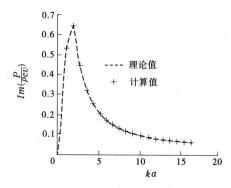

图 2-12　无量纲声压虚部随无量纲频率的变化

2.5.2.3　局部振动球

把表面振速 $v = \begin{cases} 0.001 \times \cos\theta & 0 \leq \theta < \pi/5 \\ 0 & \text{其他} \end{cases}$ 时(此时球声源为局部振动球)计算出在测量点(选离球心为0.06 m的点)的声压值作为已知值,然后根据模型来反算表面点的表面振速。

源点和测量点的选择和 2.5.2.1 完全相同,则表面振速的计算值和理论值如表2-6所示。

表 2-6　局部振动球计算的和理论的表面振速

表面点	1	2	3	4
表面振速计算值 (10^{-3} m/s)	2.531 2 + 0.593 1 i	1.050 2 + 0.102 4 i	1.050 2 + 0.102 4 i	1.050 2 + 0.102 4 i
表面振速理论值 (10^{-3} m/s)	1	1	1	1
表面点	5	6	7	8
表面振速计算值 (10^{-3} m/s)	1.050 2 + 0.102 4 i	1.050 2 + 0.102 4 i	1.050 2 + 0.102 4 i	0.111 2 + 0.074 0 i
表面振速理论值 (10^{-3} m/s)	1	1	1	0
表面点	9	10	11	12
表面振速计算值 (10^{-3} m/s)	0.111 2 + 0.074 0 i	0.111 2 + 0.074 0 i	0.111 2 + 0.074 0 i	0.111 2 + 0.074 0 i
表面振速理论值 (10^{-3} m/s)	0	0	0	0
表面点	13	14	15	16
表面振速计算值 (10^{-3} m/s)	0.111 2 + 0.074 0 i	− 0.023 3 + 0.021 3 i	− 0.023 3 + 0.021 3 i	− 0.023 3 + 0.021 3 i
表面振速理论值 (10^{-3} m/s)	0	0	0	0

续表 2-6

表面点	17	18	19	20
表面振速计算值 (10^{-3} m/s)	$-0.0233+$ 0.0213 i	$-0.0233+$ 0.0213 i	$-0.0233+$ 0.0213 i	$0.0421-$ 0.0805 i
表面振速理论值 (10^{-3} m/s)	0	0	0	0
表面点	21	22	23	24
表面振速计算值 (10^{-3} m/s)	$0.0421-$ 0.0805 i	$0.0421-$ 0.0805 i	$0.0421-$ 0.0805 i	$0.0421-$ 0.0805 i
表面振速理论值 (10^{-3} m/s)	0	0	0	0
表面点	25	26	27	28
表面振速计算值 (10^{-3} m/s)	$0.0421-$ 0.0805 i	$-0.0418+$ 0.0412 i	$-0.0418+$ 0.0412 i	$-0.0418+$ 0.0412 i
表面振速理论值 (10^{-3} m/s)	0	0	0	0
表面点	29	30	31	32
表面振速计算值 (10^{-3} m/s)	$-0.0421+$ 0.0412 i	$-0.0421+$ 0.0412 i	$-0.0421+$ 0.0412 i	$0.0000-$ 0.0713 i
表面振速理论值 (10^{-3} m/s)	0	0	0	0

除表面点 1 外,其余表面点的计算误差都不是很大,这说明使用点源作为独立函数,可以近似求解局部振动球的声辐射逆问题。

2.5.2.4　柱状声源

(1)一无限长圆柱声源,半径为 a,辐射声波的无量纲频率为 0.1,把表面振速均匀分布为0.001 m/s时(圆柱声源为脉动圆柱声源),根据声学理论计算出的声场中的声压分布作为已知值,采用点源作为独立函数,构造声辐射逆问题计算模型,来计算圆柱表面某些点的表面振速。

测量点和表面点的选择同 2.4.2.1 相同。点源分布在半径为 $a/10$ 的垂直于中心轴的圆表面上,其选择办法和测量点的选择类似。

理论的表面振速为0.001 m/s,计算的 8 个表面点的表面振速均为(0.001 0 + 0.000 0 i)m/s。

(2)如果让无量纲频率发生变化,来计算表面点 S_1 点的无量纲频率随无量纲声压的变化,结果如图 2-13、图 2-14 所示。

从图上可以看出,计算值和理论值吻合良好。这说明使用使用点源作为独立函数,可以求解无限长脉动圆柱的声辐射逆问题。

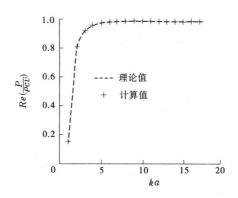

图 2-13　无量纲声压实部随无量纲频率的变化

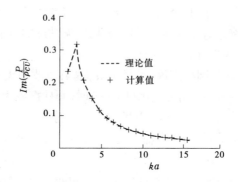

图 2-14　无量纲声压虚部随无量纲频率的变化

2.6　使用偶极子源作为独立函数

本节将取偶极子源作为独立函数,来求解声辐射逆问题。

2.6.1　独立函数的选择

偶极子源为:

$$\psi_i = \begin{cases} \nabla_r \left(\dfrac{e^{ikr(Q,\zeta)}}{r(Q,\zeta)} \right) & \text{三维} \\ \nabla_r (H_0^{(1)}(kr)) & \text{二维} \end{cases} \tag{2-31}$$

式中:Q 为源点;ζ 为已知声场中任一点;$r(Q,\zeta)$ 为点 ζ 和源点 Q 之间的距离;∇_r 表示沿 r 方向对 r 求导。

偶极子源满足微分方程(2-1),因此它也适于作为独立函数。为此进行探讨。

为避免奇异性,选择偶极子源点为声源内部的点。当选取若干个偶极子源,也就相当于选择了一组线性无关的独立函数。

2.6.2　实例验证

使用脉动球、摆动球声源作为三维声源、无限长圆柱作为二维声源来验证。

2.6.2.1　脉动球

(1)一球声源,半径和声场声压分布已知,来计算表面点的表面振速。

　　有关计算参数:测量点、源点和选取的表面点的划分均与 2.5.2.1 中的例子相同。无量纲频率为 10,测量点的声压是当表面振速是0.001 m/s 时(球声源为脉动球),根据声学理论公式计算出来的。理论的表面振速为0.001 m/s,所计算的所有表面点的表面振速均为(0.001 0 + 0.000 1 i)m/s。

　　计算的表面振速和理论的表面振速相差极小。

　　(2)如果让频率发生变化,其他条件和(1)相同,再来计算表面点 18 的无量纲声压随无量纲频率的变化,结果如图 2-15、图 2-16 所示。

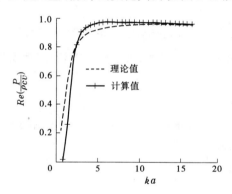

图 2-15　无量纲声压实部随无量纲频率的变化

　　从图上可以看出,无量纲频率较高时,无量纲声压的误差较小。

　　从上面的计算可以看出,可以使用这种方法在较高频率时求解脉动球的声辐射逆问题。

2.6.2.2　摆动球

　　(1)2.6.2.1 中的例子中,把表面振速为 $0.001\cos\theta$ m/s 时(即摆动球)计算得到的测量点的声压作为已知值,然后根据式(2-10)计算出表面点的表面振速。表面点计算的表面振速和理论的表面振速如表 2-7 所示。

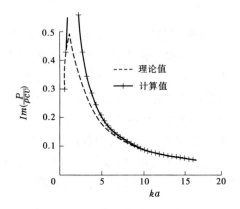

图 2-16　无量纲声压虚部随无量纲频率的变化

表 2-7　摆动球表面点计算的和理论的表面振速

表面点	1	2	4	8
表面振速计算值 $(10^{-3}$ m/s$)$	1.000 + 0.002 2 i	0.866 0 + 0.001 4 i	0.866 0 + 0.001 4 i	0.500 0 + 0.000 0 i
表面振速理论值 $(10^{-3}$ m/s$)$	1	0.866	0.866	0.5
表面点	13	16	19	23
表面振速计算值 $(10^{-3}$ m/s$)$	0.500 0 + 0.000 0 i	0.000 0 + 0.000 0 i	0.000 0 + 0.000 0 i	− 0.500 0 − 0.000 0 i
表面振速理论值 $(10^{-3}$ m/s$)$	0.5	0	0	− 0.500 0
表面点	25	27	30	32
表面振速计算值 $(10^{-3}$ m/s$)$	− 0.500 0 − 0.000 0 i	− 0.866 0 − 0.001 4 i	− 0.866 0 − 0.001 4 i	− 1.000 0 − 0.002 2 i
表面振速理论值 $(10^{-3}$ m/s$)$	− 0.5	− 0.866	− 0.866	− 1

（2）如果无量纲频率不是固定的，可计算出表面某点的无量纲声压随无量纲频率的变化。图 2-17、图 2-18 是表面点 18 的无量纲声压随无量纲频率的变化。

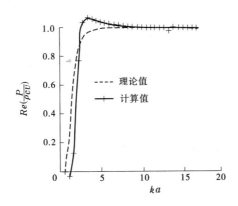

图 2-17　无量纲声压实部随无量纲频率的变化

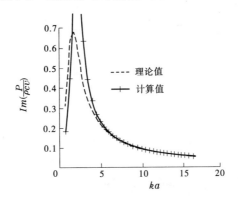

图 2-18　无量纲声压虚部随无量纲频率的变化

上述计算说明使用偶极子源作为独立函数，可以在较高的频率时用来求解摆动球的声辐射逆问题。

2.6.2.3　无限长脉动柱

(1)一无限长圆柱,半径和声场声压分布已知,声源的表面振速待求。

测量点、偶极子源、表面点的选择和 2.5.2.4 相同,无量纲频率为 10,为计算方便起见,已知的测量点的声压是当表面振速为 0.001 m/s时,根据理论公式计算出来的。计算时,把上述已知数据代入公式(2-10)中,就可求得表面振速。

理论的表面振速为0.001 m/s,计算的 8 个表面点的表面振速均为0.001 0 + 0.000 0 i m/s。

(2)如果让无量纲频率发生变化,再来计算表面点 S_1 的无量纲声压随无量纲频率的变化。结果如图 2-19 和图 2-20 所示。

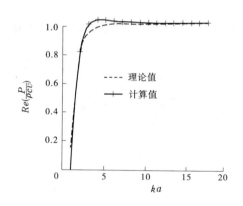

图 2-19　无量纲声压实部随无量纲频率的变化

可以看出,计算的无量纲声压在较高的频率时与理论结果吻合良好,这说明使用偶极子源作为独立函数,可以在较高的频率范围内求解无限长脉动圆柱的声辐射逆问题。

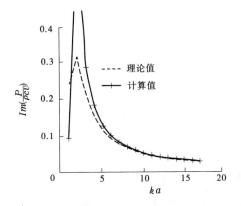

图 2-20　无量纲声压虚部随无量纲频率的变化

2.7　用长旋转椭球函数作为独立函数

2.7.1　独立函数的选取

这里使用长旋转椭球坐标系,如图 2-21 所示,图中为长轴为 $2a$、短轴为 $2b$、焦距为 $2F(F=\sqrt{a^2-b^2})$ 的长旋转椭球,其中 η、ζ、φ 分别为旋转椭球坐标系中的角度、向径和方位角坐标,图中的 $\theta=\arccos\eta$,(η,ζ,φ) 与对应直角坐标 (x,y,z) 的关系为:

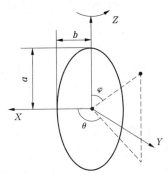

图 2-21　声场示意图

$$\begin{cases} x = [(\zeta^2 - F^2)(1 - \eta^2)]^{[1/2]}\cos\varphi \\ y = [(\zeta^2 - F^2)(1 - \eta^2)]^{[1/2]}\sin\varphi \\ z = \zeta\eta \end{cases} \quad (2\text{-}32)$$

其中

$$F \leqslant \zeta < \infty \quad -1 \leqslant \eta \leqslant 1 \quad 0 \leqslant \varphi \leqslant 2\pi \quad (2\text{-}33)$$

在此坐标系下,可以选取独立函数为:

$$\psi_{mn} = P_{m+n}^m(\eta)\left(\frac{\zeta^2 - F^2}{\zeta^2}\right)^{\frac{1}{2}m} h_m^{(2)}(c\zeta)_{\sin}^{\cos}n\varphi \quad (2\text{-}34)$$

式中:m、n 取大于零的整数;$h_m^{(2)}(c\zeta)$表示第二阶球亨格尔函数;$c = kF$,k 为声波波数;F 可以根据声源的形状来适当转取。

文献[31]是 $F = 0$ 的特殊情况,它仅适合于处理球状或者类似于球状物体的声源的声场重构问题。

2.7.2 验证分析

(1)一置于空气中的球,其半径为 0.2 m,空气密度为 1.2 kg/m³,声速为341 m/s。如果已知声场中若干点的声压,就可以重构出声场中任何其他点的声压。

因为脉动球有理论解,这里使用脉动球。假定已知声场中 5 个点的声压,使用两项独立函数,$F = 0.01$。图 2-22、图 2-23 显示的是计算的声源表面的无量纲声压随无量纲频率的变化。其中图 2-22采用了正交化处理,而图 2-23没有采用正交化处理。作者在计算机上,使用独立函数正交化处理来计算这个算例,耗时 8.9 s,而不使用独立函数正交化处理,耗时仅0.3 s。声源表面划分为 20 个单元,单元内积分采用两点 Gauss – legendre 公式。

从图上可以看出,计算值和理论值吻合极好。这里要指出的是,不使用正交化处理,求解这个例子,F 可以灵活地选择 -0.05~0.05 中的任何数值,也可以是虚数来计算这个例子,精度都很高。当然 F 的变化不能超过声源的半径,否则使用的椭球坐标系并不能很好地近似声源,也就不能显示出该法的优越性。

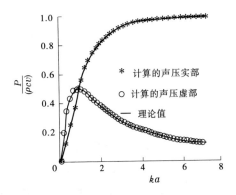

图 2-22 脉动球无量纲声压随无量纲频率的变化(使用正交化)

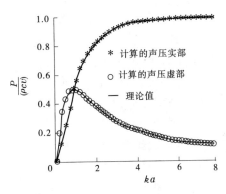

图 2-23 脉动球无量纲声压随无量纲频率的变化(不用正交化)

(2)声源为一圆柱体,圆柱体的半径为 0.05 m,圆柱的长度为 0.5 m,圆柱的两端有两个半圆的封头,封头的半径也是 0.05 m (见图 2-24)。如果已知声场中某些点的声压,利用前面介绍的方法,可以计算得到声场中其他点的声压。为和理论解做对比,假定表面声压均匀分布为 1 Pa,使用有限元计算软件 ANSYS 计算出整个声场的声压分布。取其中声场中一些计算出的声压,来重构其他点的声压。

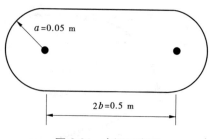

图 2-24   声源示意图

声波频率为500 Hz,空气密度1.2 kg/m³,声速341 m/s,AN-SYS计算的远场取为2 m,单元数为47 087个(含无限单元)。声源表面均匀分布为1 Pa的声压。

取离声源中心约为0.5 m的30个点的声压,来重构离声源表面距离很近的点的声压。计算时,取 $F = 0.295\ 8$(声源的表面比较接近 F 为此数值附近的值的一个长旋转椭球)。计算结果如图 2-25所示,图中 X 方向沿圆柱轴线方向,Y 方向沿半径方向,实线为重构计算前用 ANSYS 计算的解,*、○、+、◇分别表示使用4、9、16、25 项独立函数重构的结果。整个计算用时3.8 s。可以看出,使用独立函数项数越多,计算值和理论值吻合越好,当使用25 项独立函数时,最大计算误差小于 5%。并且,由于没有使用正交化处理,计算时间很少。

使用文献[31]中的方法,即在本书的公式(2-34)中取 $F = 0$,使用25 项独立函数,然后运用公式(2-5)进行正交化处理,同样来计算上面重构的点的声压,计算结果最大误差超过 100%,计算的声压误差多在 30% 左右,而且所需的计算时间是本书的 30 倍左右。这里要指出的是,文献[31]使用正交化方法计算的宽高近似相等、长为任意值的柱体的声辐射算例,实质上是脉动球和摆动球算例。因此,文献[32]认为,文献[31]中的方法适用范围是求解长、宽、高比约为1:1:1的声源的辐射问题,而本节提出的方法是基

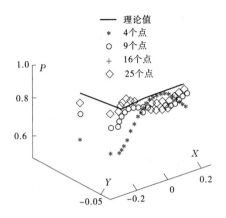

图 2-25　声源附近点理论值和计算

于长旋转椭球坐标系,因为可以根据声源的形状灵活地选择计算参数 F,因此其适用范围已拓展至是宽高近似相等、长为任意值的声源的声场重构问题。

本节提出根据声源的表面形状,来灵活选择计算的参数,使用长旋转椭球函数形成独立函数,通过独立函数的线性叠加来近似声场中的声压。这样,根据声场中较少的已知点的声压,通过最小二乘法,可以重构出声场中其他点的声压。该法的适用范围是重构宽高近似相等、长为任意值的声源的声场。在该法的适用范围内,不需要对长旋转椭球函数进行正交化处理,这样,计算效率将获得明显的提高。本节的两个计算算例,表明该法是成功的。

2.8　小　结

本章详细介绍了快速噪声诊断技术——HELS 方法的基本原理,使用球谐函数求解了脉动球、摆动球和局部振动球,并分别使用柱波函数、点源、偶极子源、长旋转椭球代替球谐函数作为独立函数,来推广 HELS 方法,结论如下:

(1)使用球谐函数作为独立函数的 HELS 方法,根据声场中较少的测量点的声压,可以成功地重构出一些球状声源的声场。因此,该方法的适用范围为长、宽、高近似相等的声源产生的声辐射逆问题。

(2)使用柱波函数作为独立函数的 HELS 方法,根据声场中较少的测量点的声压,可以成功地重构出一些柱状声源的声场。

(3)使用点源作为独立函数的 HELS 方法,根据声场中较少的测量点的声压,可以成功地重构出脉动球、摆动球、无限长脉动圆柱等声源产生的声场,也可近似重构局部振动球等声源产生的声场。

(4)使用偶极子源作为独立函数的 HELS 方法,根据声场中较少的测量点的声压,可以近似重构出脉动球、摆动球、无限长脉动圆柱等声源产生的声场,特别在高频,其计算误差较小。

(5)使用长旋转椭球函数作为独立函数的 HELS 方法,根据声场中较少的测量点的声压,可以成功地重构宽高近似相等、长为任意值的声源的声场。在此范围内,不需要对长旋转椭球函数进行正交化处理,这样,计算效率将获得明显的提高,而且,球谐函数为长旋转椭球函数的特殊情况,因此,长旋转椭球函数作为独立函数的 HELS 方法,其适用范围不但包含了球谐函数作为独立函数的 HELS 方法的适用范围,而且大大拓展了球谐函数作为独立函数的 HELS 方法的适用范围。

第 3 章　HELS 方法求解精度分析

从理论上说,第 2 章讨论的方法应该能求解任何声源的声辐射逆问题,只要公式(2-4)中的 N 趋于无穷大,也就是独立函数的项数足够多,求解的声压将趋于声场中声压的真值。但实际上,由于计算机性能的限制,独立函数的项目不可能无穷多。在一定的范围内,甚至可能是独立函数的项数越多,求解的误差越大。因此,本章将借用例子来讨论第 2 章讨论的各种方法的精度,以及精度的影响因素。

本章选取三维声源和二维声源,分别分析了独立函数为球谐函数、点源、偶极子源、柱波函数的 HELS 方法的精度情况,并分析了精度的影响因素:独立函数的数目、测量点的数目、测量点的距离、频率、源球半径、源点均匀性等。

3.1　球谐函数精度分析

下面将以脉动球为例,通过变换各相关因素,来探讨使用球谐函数作为独立函数的 HELS 方法求解脉动球的精度影响因素,在此基础上,提出球谐函数的适用范围。

3.1.1　测量点的数目

一脉动球声源,半径为 a,假定表面振速均匀分布为 0.001 m/s,根据理论公式可计算出声场中的声压分布,以此算出的声场声压值作为已知值,以球谐函数作为独立函数,通过建立的计算模型来反算在表面点的表面振速。

使用的计算参数有:脉动球辐射声波的无量纲频率 ka 为 0.5,媒质密度为 1.2 kg/m³,声速为 341 m/s,独立函数取为 8 项,表面点也取为 8 个,表面点的 $\varphi = 0, \theta$ 从 0 均匀变化到 180°(不包括 180°)。

下面来讨论测量点数目对结果精度的影响。

测量点均匀分布在一半径为 $2a$ 的球面上,它们的 $\varphi = 0, \theta$ 从 0 均匀变化到 180°(不包括 180°),8 个表面点计算的表面振速实部的最大相对误差如表 3-1 所示。

表 3-1　变换测量点的数目,8 个表面点的计算表面
振速实部的最大相对误差

使用的测量点数目	8	15	20	50	100	150
最大相对误差(%)	9.072 2 E−10	8.955 5 E−11	1.013 3 E−10	3.818 6 E−11	3.222 2 E−11	9.974 7 E−12

可以看出,随着测量点数目的增多,一般说来计算误差是变小的。

3.1.2　独立函数的数目

在 3.1.1 的例子中,如果使用 200 个测量点,变换独立函数的数目,其他条件不变,再来计算。

从表 3-2 上可以看出,当使用较多数目的独立函数时,使用独立函数的阶数越多,结果误差反而越大。

表 3-2　变换独立函数的数目,8 个表面点的计算表面
振速实部的最大相对误差

独立函数的数目	5	50	100	150	200
最大相对误差(%)	1.496 2 E−12	1.013 3 E−10	6.533 4 E−11	9.670 1 E5	1.079 0 E7

针对上面出现的问题,提出的解决办法是:选取球谐函数时,对测量点的球谐函数作均一化处理(乘以或除以一数值),然后作

为独立函数,这样选取的独立函数的模每项相差不大。下面是来计算上面的例子,使用 200 个测量点、200 项独立函数。所作的处理是测量点的独立函数的每一项的模均控制在 1~100 之间,计算的表面振速(单位:10^{-3}m/s)结果如表 3-3 所示。

表 3-3　使用处理过的独立函数计算出来的表面点的表面振速

表面点	1	2	3	4
表面振速 (10^{-3} m/s)	1.000 0 − 0.000 0 i	1.000 0 − 0.000 0 i	1.000 0 − 0.000 0 i	1.000 0 − 0.000 0 i
表面点	5	6	7	8
表面振速 (10^{-3} m/s)	1.000 0 + 0.000 0 i	1.000 0 + 0.000 0 i	1.000 0 + 0.000 0 i	1.000 0 + 0.000 0 i

上面是以脉动球为例进行的讨论,其结论同样适用于其他球状声源。

3.1.3　测量点的距离

使用上面的例子,如果选择 8 个测量点,测量点距脉动球球面的距离在变化,选择 8 项独立函数,其余条件不变。下面来计算表面点 S_1 的无量纲声压随测量点距球面的距离 b 与脉动球半径 a 的比值的变化情况。

从图 3-1 和图 3-2 可以看出,测量点距脉动球的距离对计算结果的精度影响并不是很大。

通过这一节的讨论,可知使用球谐函数作为独立函数的 HELS 方法来求解脉动球的声辐射逆问题,有以下结论:

(1)一般测量点数目越多,计算结果越准确。

(2)当用较多数目的独立函数求解时,数目越多,计算结果误差有可能越大。由此提出的解决办法是:人为地减小在测量点的展开项的独立函数相差值。

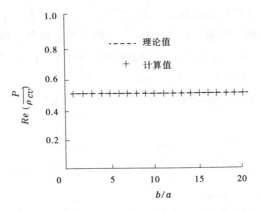

图 3-1 当 $ka=1$ 时，选择 8 项独立函数表面点 S_1 的
无量纲声压实部随 b/a 的变化

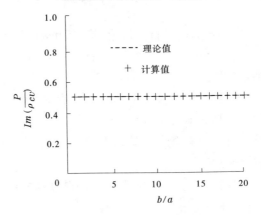

图 3-2 当 $ka=1$ 时，选择 8 项独立函数表面点 S_1 的
无量纲声压虚部随 b/a 的变化

(3)测量点离脉动球球心的距离对计算结果的精度影响不是很直接。

(4)因为(2)，无法在计算机上使用大量的展开项来描述声场，使用球谐函数求解声辐射逆问题有一定的局限性。具体来说，也就是使用球谐函数求解球状声源的声辐射逆问题时,仅能求解表面振动情况不是十分复杂的声源的声辐射逆问题。当使用球谐函数求解其他表面比较光滑的声源的声辐射逆问题时,需对球谐函数做进一步的处理。也就是说,球谐函数的适用范围就是表面振动情况不是十分复杂的声源的声辐射逆问题。值得注意的是,任何声源的远场声波传播都可近似为球波,因此可使用球谐函数来近似重构任何声源的远场声压,可参阅文献[31],其基本原理与前文叙述一致。

3.2　柱波函数精度分析

这一节以无限长脉动圆柱为例,通过变换各相关因素来探讨使用柱波函数求解声辐射逆问题结果精度的影响因素。

3.2.1　测量点的数目

一无限长脉动圆柱,半径为 a,假定表面振速均匀分布为 0.001 m/s,根据理论公式可计算出声场中的声压分布,以算出的声场声压值作为已知值,然后把柱波函数作为独立函数,代入计算模型来反算在表面点的表面振速。

使用的计算参数有:声波的无量纲频率 $ka=0.5$,独立函数取为 8 项,表面点取为 8 个,沿垂直于中心轴的圆面上均匀取,它们的 $z=0$,距圆柱中心轴的距离等于 a。

下面来讨论测量点数目对结果精度的影响。

测量点的 $z=0$,距圆柱中心轴的距离等于 $2a$,沿垂直于中心轴的圆面上均匀取,8 个表面点计算的表面振速实部的最大相对误差如表 3-4 所示。

表 3-4　8 个表面点计算的表面振速实部的最大相对误差

使用测量点的数目	8	15	20	50	100	150
最大相对 误差(%)	3.329 1 E－13	3.551 8 E－14	3.593 0 E－14	2.569 1 E－13	5.408 8 E－13	1.364 7 E－14

可以看出,测量点数目对计算误差的影响并没有呈现一定的规律性,但因为误差都很小,可以认为测量点数目对计算误差影响较小。

3.2.2 独立函数的数目

在3.2.1的例子中,如果使用20个测量点,变换独立函数的阶数,其他条件不变,再来计算。

从表3-5可以看出,当使用较多数目的独立函数时,使用独立函数的阶数越多,结果误差反而越大。

表3-5　8个表面点计算的表面振速实部的最大相对误差

使用独立函数数目	5	8	15	18	20
最大相对误差(%)	2.743 4 E－016	3.593 0 E－014	2.543 4 E－010	246.114 8 E2	5.256 5 E4

由3.1.2节,设想:对测量点选取的柱波函数作均一化处理(乘以或除以一数值),作为独立函数,这样,测量点的每项独立函数的模相差不大。下面是来计算上面的例子,其中使用独立函数数目为18。此时所作处理是:对测量点的独立函数的每一项的模,均控制在1~100之间。计算的表面振速结果如表3-6所示。

表3-6　使用处理过的独立函数计算出来的表面点的表面振速

表面点	1	2	3	4
表面振速 (10^{-3} m/s)	1.000 0 － 0.000 0 i	1.000 0 － 0.000 0 i	1.000 0 － 0.000 0 i	1.000 0 － 0.000 0 i
表面点	5	6	7	8
表面振速 (10^{-3} m/s)	1.000 0 ＋ 0.000 0 i	1.000 0 ＋ 0.000 0 i	1.000 0 ＋ 0.000 0 i	1.000 0 ＋ 0.000 0 i

上面是以脉动圆柱为例进行的讨论,其结论同样适用于其他

柱状声源。

3.2.3 测量点的距离

使用上面的例子,如果选择8个测量点,测量点距脉动柱面的距离在变化,选择8项独立函数。下面来计算表面点 S_1 的无量纲声压随测量点距球面的距离 b 与脉动球半径 a 的比值的变化情况,结果与图3-1和图3-2完全相同。

从图3-1和图3-2可以看出,测量点距脉动柱的距离对计算结果的精度影响并不是很大。

通过上面讨论,可知使用柱波函数作为独立函数的 HELS 方法来求解无限长脉动圆柱的声辐射逆问题,一般有以下结论:

(1)和使用球谐函数不一样,测量点数目对计算结果的影响没有呈现出一定的规律性,但计算结果的误差一般都较小。

(2)当用较多数目的独立函数求解时,数目越多,计算结果误差有可能越大。由此提出的解决办法是:人为地减小在计算点展开项的独立函数相差值。

(3)测量点离脉动柱中心轴的距离对计算结果的精度影响不是很大。

(4)因为(2),只能在计算机上使用较少的展开项来描述声场,使用柱波函数求解声辐射逆问题有较大的局限性。具体来说,也就是使用柱波函数仅能求解柱状或与柱形状接近的较为简单的声源的声辐射逆问题,即柱波函数的适用范围是较为简单的柱状或接近柱状声源的声辐射逆问题。

3.3 点源的精度分析

下面使用点源作为独立函数,来求解脉动球的声辐射逆问题,通过变换各相关因素,来探讨精度的影响因素。

使用点源求解声辐射逆问题的主要依据是任何声源的声场声压能够用一组声源内点源的线性组合[4~7]来描述。理论上,点源的选择可以是声源内的任何点，为方便起见，一般选择点源都在声源内的一球表面上(本书以后称为源球)。但有时源球半径较大时，结果误差较大。因此，点源位置并非可以任意选择。应该对具体声源作具体分析，下面通过讨论脉动球，来分析使用点源作为独立函数求解脉动球的结果精度影响因素。

从下面的讨论将可以看出，使用脉动球作为独立函数，来求解脉动球的声辐射逆问题，影响计算结果精度的因素很多，主要有点源的数目、位置、分布均匀性，已知声压的测量点数目、位置、分布均匀性，无量纲频率，等等。

3.3.1　源球半径的选择

一脉动球，半径为 a，无量纲频率 ka 为 0.5，已知测量点的声压，就可以由式(2-9)计算出声源表面任一点的无量纲声压，将此与理论值相比较。

使用 2.5.2.1(1)所使用的测量点和点源的划分，如图 2-10 所示：纬度平均划分为 6 份，每份角度为 30°，经度平均划分为 6 份，每份角度为 60°，测量点所在球的半径为 $2a$，点源所在源球的半径 b 从 0 变化到 a。理论值与计算值比较如图 3-3、图 3-4 所示。

由图 3-3、图 3-4 可以看出，源球半径选择为 0 到 $a/2$ 时，计算误差都较小；当源球半径选择从 $a/2$ 开始增加时，计算误差逐渐增加，已变得不可容忍。

3.3.2　频率对源球半径选择的影响

由第 2 章知道，使用点源作为独立函数这种算法在很宽的频率上均可使用。下面来讨论，是否在所有的频率，选择同样的源球半径都合适。

测量点、点源的划分和 3.3.1 相同。图 3-5、图 3-6 中，＊、＋、○、实线分别表示无量纲频率为 0.1、0.5、1、5 时，计算的声源表面上点 $(0,0,a)$ 的无量纲频率的相对误差随源球半径 b 与脉动球半径 a 比值 (b/a) 的变化。

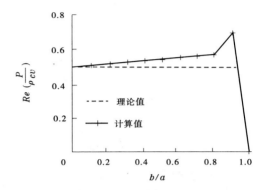

图 3-3　当 $ka = 0.5$、源球上选择 32 个点源时，
S_1 的无量纲声压实部随 b/a 的变化

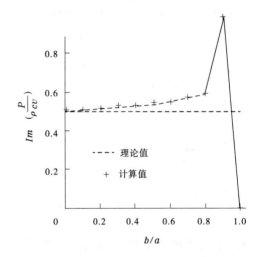

图 3-4　当 $ka = 0.5$、源球上选择 32 个点源时，
S_1 的无量纲声压虚部随 b/a 的变化

由图上可以看出，源球半径对各个频率的影响程度基本一样，即在源球半径从 0 逐渐增加到等于 $a/2$ 时，误差逐渐增加，但对

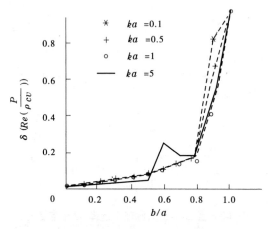

图 3-5　源球上选择 32 个点源时,脉动球表面某点无量纲声压实部相对误差随 b/a 的变化

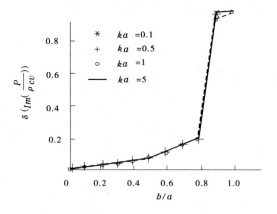

图 3-6　源球上选择 32 个点源时,脉动球表面某点无量纲声压虚部相对误差随 b/a 的变化

各个频段与理论结果的误差都可容忍,再逐渐增加源球半径到 a 时,误差越来越大,已变得不可容忍。

作者实验了大量的无量纲频率,结论相同。

3.3.3　点源数目对结果误差的影响

选取的点源、测量点和表面点的数目相同。点源、测量点和表面点分别分布在三个球面上,三个球的半径不一样,但划分方法相同,且纬度间隔角和经度间隔角都相同,来计算点源数目对所求得的表面振速的影响。

表 3-7 是脉动球的半径为 a,测量点半径为 $2a$,点源半径为 $a/3$,声波无量纲频率 $ka = 0.5$,在测量点声压分布已知(为计算简单起见,可根据理论公式求得表面振速为 0.001 m/s,计算的测量点的声压作为已知值),使用点源数目不同时所求得的表面点的表面振速实部最大相对误差。

表 3-7　计算的表面点的表面振速实部最大相对误差

点源数目	2	6	14	26	62	146
最大相对误差(%)	34.70	2.765	0.392 9	0.062 43	0.022 43	0.010 07

从表 3-7 可以看出,当使用点源数目越多,计算的相对误差一般越小。

上面使用的纬度间隔角和经度间隔角相同,这样得出的结论是不是具有特殊性?如果分别对纬度和经度均匀划分,划分的纬度间隔角和经度间隔角却不相同,再来计算上面的例子。计算的表面点的表面振速实部最大相对误差如表 3-8 所示。

表 3-8　计算的表面点的表面振速实部最大相对误差

点源划分 (°)	纬度间隔角	经度间隔角	纬度间隔角	经度间隔角	纬度间隔角	经度间隔角	纬度间隔角	经度间隔角
	90	180	60	180	60	90	45	90
点源数目	4		6		10		14	
最大相对误差(%)	10.52		8.141		0.407 8		0.397 5	

续表 3-8

点源划分 (°)	纬度 间隔角	经度 间隔角	纬度 间隔角	经度 间隔角	纬度 间隔角	经度 间隔角	纬度 间隔角	经度 间隔角
	30	90	20	90	18	90	15	90
点源数目	22		34		38		46	
最大相对误差(%)	0.373 0		0.366 1		0.356 1		0.357 8	

从表 3-8 可以看出,如果点源数目增多,只要纬度间隔角和经度间隔角不是相差太大,计算的相对误差一般会降低。

3.3.4　点源划分均匀性对计算结果的影响

其实认真比较表 3-7 和表 3-8 就会发现,当点源数目相同时,对源球均匀划分,计算的结果误差较小。下面通过计算来验证这一结论。

仍然使用 3.3.3 中的例子,来计算点源数目相同时,仅划分不同时计算的表面振速实部的最大相对误差。表 3-9 是计算的表面点表面振速实部的最大相对误差。

表 3-9　计算的表面点表面振速实部的最大相对误差

点源数目	6				14			
点源划分 (°)	纬度 间隔角	经度 间隔角	纬度 间隔角	经度 间隔角	纬度间 隔角	经度 间隔角	纬度间 隔角	经度 间隔角
	90	90	60	180	60	60	45	90
最大相对误差(%)	2.765 3		8.141		0.392 9		0.397 5	
点源数目	26				42			
点源划分 (°)	纬度 间隔角	经度 间隔角	纬度 间隔角	经度 间隔角	纬度 间隔角	经度 间隔角	纬度 间隔角	经度 间隔角
	45	45	60	30	36	36	20	72
最大相对误差(%)	0.062 4		0.392 9		0.020 9		2.107 4	

从表 3-9 能清楚地看到,使用同样数目的点源,点源位置均匀选取时一般比不均匀选取时误差要小,有时两者误差相差较大。

3.3.5　测量点对计算结果的影响

由第 2 章的公式(2-10)和式(2-11)知道,能求解的基本条件是:已知的测量点数目不比独立函数的数目少。上面讨论的例子都是测量点数目等于独立函数的数目。当测量点的数目比独立函数数目大时,第 3 章讨论的是用最小二乘法来求解,这种解法有误差吗? 如果有,误差有多大? 测量点的分布对结论的影响如何? 下面来讨论上述问题。

仍然使用上面的脉动球例子。其中的参数在此重新叙述一下:脉动球半径 a,无量纲频率 ka 为 0.5,把由表面振速为 0.001 m/s 时,计算的声场声压分布作为已知值。

测量点所在球的半径为 $2a$,源球半径为 $a/3$。点源的选择是沿纬度均匀划分为 4 份,沿经度均匀划分 8 份,共 26 个源点。随便选择表面一个点,来观察测量点数目和分布对此点计算的表面振速的影响。表 3-10 是 $(0,a,0)$ 点的表面振速最大相对误差随测量点数目和分布的变化。

表 3-10　$(0,a,0)$ 点的表面振速最大相对误差随测量点数目和分布的变化

测量点数目	32				38			
测量点划分 (°)	纬度间隔角	经度间隔角	纬度间隔角	经度间隔角	纬度间隔角	经度间隔角	纬度间隔角	经度间隔角
	45	36	30	60	45	30	36	40
最大相对误差(%)	0.024 67		0.018 31		0.025 46		0.037 16	
测量点数目	42				62			
测量点划分 (°)	纬度间隔角	经度间隔角	纬度间隔角	经度间隔角	纬度间隔角	经度间隔角	纬度间隔角	经度间隔角
	36	36	30	45	30	30	45	18
最大相对误差(%)	0.037 16		0.024 67		0.024 67		0.025 47	

由表 3-10 可以看出,测量点数目比源点数目多,可以求解声辐射逆问题。虽有误差,但误差很小,且与测量点数目和分布关系之间没有明显的规律可循。

3.3.6　点源的总体形状对计算结果的影响

点源可为声源内任一点,只是为方便起见,才选择了所有点源在一个球面上。那么,点源并不都在一个球面上时,计算结果是否可行? 下面分别选择点源在两个球体上和点源在一个立方体上,然后来计算,结果讨论如下。

仍然使用 3.3.5 的脉动球例子,其中的参数有:脉动球半径 a,把由表面振速为 0.001 m/s 计算的声场声压分布作为已知值。

测量点所在球半径为 $2a$,它的选择是沿纬度均匀划分为 4 份,沿经度均匀划分为 8 份,共 26 个测量点。

(1)两个球体。一源球半径为 $a/3$,源点选择是沿纬度均匀划分为 4 份,沿经度均匀划分为 4 份,除去点 $(0,0,-a/3)$,共 13 个点。另一源球半径为 $a/2$,源点选择也是沿纬度均匀划分为 4 份,沿经度均匀划分为 4 份,除去点 $(0,0,a/2)$,共 13 个点。总共 26 个源点。计算的 $(0,0,a)$ 点的无量纲声压随无量纲频率的变化与图 2-2 和图 3-3 所示相同。

可以看到,理论值与计算值吻合良好。因此,使用这种选取点源的方法同样能够得到理想的结果。

(2)点源在一立方体上。立方体的边长为 $a/3$,立方体的中心与脉动球的中心重合,立方体每一平面上有 9 个点源,共 54 个点源,其分布如图 3-7 和 3-8 所示。

计算的 $(0,0,a)$ 点的无量纲声压随无量纲频率的变化与图 2-2、图 2-3 所示相同。

从图上可以看出,使用的点源在立方体上,计算结果同样和理论结果吻合良好。

为证明上面(2)中给出的例子并非是偶然的,作者让立方体的

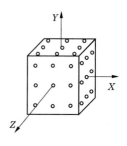

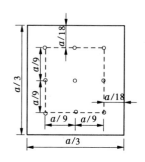

图 3-7　立方体声源和
　　点源选择示意图

图 3-8　点源示意图

边长发生变化,然后来观察脉动球表面点$(0,0,a)$的无量纲声压
的变化。

　　图 3-9、图 3-10 中,b 为立方体边长,a 为脉动球半径。从中
可以看出,在立方体边长为脉动球半径的 $0\sim4/5$ 的范围内时,计
算结果的误差都相当小。再综合(1),可以得出结论:点源并不一
定非要在一源球上。

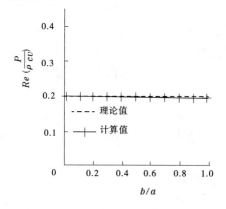

图 3-9　当 $ka=0.5,54$ 个点源均匀分布在一立方体上时,脉动球表面
　　某点的无量纲声压实部随 b/a 的变化

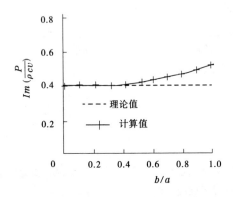

图 3-10　当 $ka = 0.5,54$ 个点源均匀分布在一立方体上时，脉动球表面某点的无量纲声压虚部随 b/a 的变化

通过本节的讨论得知，点源虽然理论上可以为声源内任一点，实际上由于种种原因(主要是计算机的截断误差和点源的奇异性)，点源的选择有一定的限制。也就是说，使用点源理论上可以求解任何声源的声辐射逆问题，即点源的适用范围从理论上说是任意声源，但实际上，对于表面振动情况比较复杂的声源(如参照第 2 章求解局部振动球的例子)，精度较低。因此，使用点源一般应用于振动情况比较简单的声源的声辐射逆问题。

通过这一节的讨论，使用点源作为独立函数求解脉动球的声辐射逆问题，总的结论是：

(1)在很多的无量纲频率，一般有：点源越靠近球心，计算结果越准确；当点源所在球半径为脉动球半径的 1/2 时，精度仍然较高。

(2)用点源数目越多、分布越均匀，计算结果越准确。

(3)测量点数目比所使用的点源数目多，可以求得最小二乘解，且计算结果的精度与测量点的数目和分布均匀性没有明显的规律可循，不过计算结果的误差都很小。

(4)使用点源在一立方体表面或其他形状的表面上也有可能求解这一问题。

3.4　偶极子源的适用范围

使用偶极子源求解声辐射逆问题的目的是从一个新的角度来求解这一问题。

下面来计算结果的精度与偶极子源的位置、分布、方向、数量，以及测量点的数量、分布等因素的关系。

3.4.1　偶极子源的位置

一脉动球，半径为 a ，无量纲频率为 $ka = 10$ 。

计算时，测量点和偶极子源点沿纬度和经度均匀划分，沿纬度划分为 6 份，沿经度划分为 6 份。图 3-11 和图 3-12 是源球半径从 0 变化到声源半径，$(0,0,a)$ 表面点计算的和理论的无量纲频率。

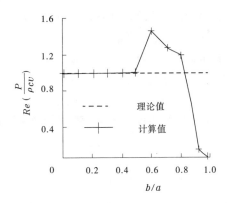

图 3-11　当 $ka = 10$ ，源球上选择 32 个偶极子源时，脉动球表面某点的无量纲声压实部随 b/a 的变化

3.4.2　偶极子的数目

一脉动球，半径为 0.3 m，辐射声波的无量纲频率为 10，源球

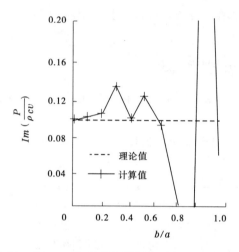

**图 3-12　当 $ka = 10$,源球上选择 32 个偶极子源时,脉动球表面
某点的无量纲声压虚部随 b/a 的变化**

半径为0.03 m,测量点在一半径为 0.6 m、与声源同心的圆球上,
源点的划分、表面点的划分均和测量点的划分相同,把表面振速为
0.001 m/s 时计算的测量点的声压作为已知值。理论的表面振速
均匀分布为 0.001 m/s,使用偶极子数目不同时计算的表面点的
表面振速实部的最大相对误差如表 3-11 所示。

表 3-11　计算的表面点的表面振速实部的最大相对误差

偶极子数目	2	6	14	42	62	114	182
最大相对误差（%）	4.759 3	0.909 6	0.463 1	0.543 1	0.543 0	0.530 1	0.563 7

从表 3-11 可以看出,增加偶极子数目,可以减小计算误差。
但当偶极子数目增加到一定的数目(如上例中,42 个),再增加偶
极子数目并不能减小计算误差。

3.4.3　偶极子的分布均匀性

下面改变偶极子源的数目和分布均匀性,计算偶极子分布的均匀性对计算误差的影响,其他条件的使用和 3.4.1 相同。计算的表面点的表面振速实部的最大相对误差如表 3-12 所示。

表 3-12　计算的表面点的表面振速实部的最大相对误差

偶极子源数目	6				14			
偶极子源划分 (°)	纬度 间隔角	经度 间隔角	纬度 间隔角	经度 间隔角	纬度 间隔角	经度 间隔角	纬度 间隔角	经度 间隔角
	90	90	60	180	60	60	45	90
最大相对误差(%)	0.909 6		0.445 8		0.463 1		0.531 8	
偶极子源数目	26				42			
偶极子源划分 (°)	纬度 间隔角	经度 间隔角	纬度 间隔角	经度 间隔角	纬度 间隔角	经度 间隔角	纬度 间隔角	经度 间隔角
	45	45	60	30	36	36	20	72
最大相对误差(%)	0.544 6		0.463 2		0.543 1		0.542 7	

可以看出,偶极子分布的均匀性对计算误差的影响并不像点源那样明显。甚至可以说,当偶极子数目增加到一定数目时,均匀性对计算结果的影响是随机的,但一般相差不大。

3.4.4　测量点的数目

一脉动球,半径为 0.3 m,无量纲频率为 10,源球半径为 0.03 m,把表面振速为 0.001 m/s 时计算的测量点的声压作为已知值。理论的表面振速均匀分布为 0.001 m/s。现假定源点半径为 0.03 m,沿纬度均匀划分 5 份,沿径度均匀划分为 10 份,共 42 个。表面点的选择和源点的选择方法类似。测量点数目变化对计算结果的影响如表 3-13 所示。

从表 3-13 可以看出,测量点的数目和分布均匀性对计算结果的影响不大,这与使用点源得出的结论不一样。

表 3-13　计算的表面点的振速实部最大相对误差

测量点数目	6				14			
测量点划分 (°)	纬度 间隔角	经度 间隔角	纬度 间隔角	经度 间隔角	纬度 间隔角	经度 间隔角	纬度 间隔角	经度 间隔角
	90	90	60	180	60	60	45	90
最大相对误差(%)	0.503 8		0.482 3		0.526 1		0.516 2	
测量点数目	26				42			
测量点划分 (°)	纬度 间隔角	经度 间隔角	纬度 间隔角	经度 间隔角	纬度 间隔角	经度 间隔角	纬度 间隔角	经度 间隔角
	45	45	60	30	36	36	20	72
最大相对误差(%)	0.544 6		0.526 5		0.544 0		0.540 0	

3.4.5　偶极子源的总体形状的变化

上面使用的偶极子源均在一源球上。实际上,偶极子源在理论上可以为声源内任意的点,为说明这一现象,让所有的偶极子源均在一立方体上,然后来计算声辐射逆问题。

有关计算参数为:脉动球半径为 0.3 m,无量纲频率为 10,测量点半径为 0.6 m,已知声场的声压分布。

现假定测量点半径为 0.6 m,沿纬度均匀划分为 6 份,沿经度均匀划分为 6 份,共 32 个。偶极子源均在声源内部一立方体上,立方体的中心与脉动球的中心重合,分布与图 3-7、图 3-8 相同,立方体每一面上有 9 个偶极子源点均匀分布,共 54 个点。当立方体边长 b 从 0 变化到 a 时,计算表面点 $(0,0,a)$ 的无量纲声压随立方体边长 b 与脉动球半径 a 的比值的变化。

从图上可以看出,使用偶极子源作为独立函数,求解脉动球声辐射逆问题,当源球半径为 $(0\sim0.2)a$ 时,求解结果都比较准确,而半径再增大时,误差有可能很大。

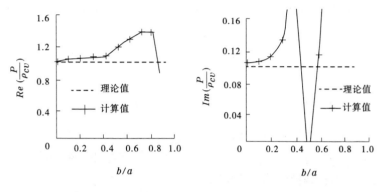

图 3-13　当 $ka=10$,54 个偶极子源均匀分布在一立方体上时,脉动球表面某点的无量纲声压实部随 b/a 的变化

图 3-14　当 $ka=10$,54 个偶极子源均匀分布在一立方体上时,脉动球表面某点的无量纲声压虚部随 b/a 的变化

从图 3-13 和 3-14 可以看出,偶极子源全在一立方体表面上,确实也可以求解声辐射逆问题,只是立方体边长可选范围更小。这说明了偶极子源的整体分布形状对计算结果的精度也有影响。

理论上,可以使用偶极子源来求解表面为任意形状的声源。但实际上,比较复杂的声源,计算结果的误差较大。因此,使用偶极子源仅能用来求解形状比较简单的简单声源,并且使用偶极子源求解声辐射逆问题,适用频率为高频。

通过这一节的讨论,有如下结论:可以使用偶极子源求解脉动球的声辐射逆问题,但精度一般不如点源。其他结论为:

(1)源点越靠近球心,计算结果越准确,在源点所在球半径为脉动球半径的 1/5 时,计算结果仍然相当准确。

(2)源点数目越多,计算结果精度越高,当源点数目超过一定值时,计算结果的精度变化不是很大;源点的分布均匀性对结果的精度影响不是很大。

(3)测量点的数目大于偶极子源的数目时,可以求得最小二乘解。此时,测量点的数目和分布均匀性对计算结果的影响的规律性不是很明显,但计算结果的误差一般较小。

(4)所有偶极子源均在一立方体表面上或其他形状的表面上也有可能求解这一问题。

3.5 二维声源声辐射逆问题精度分析

这一节讨论使用点源和偶极子源来求解二维声源的声辐射逆问题的精度情况,单独列出一节是因为二维问题和三维问题所使用的点源和偶极子源并不相同。

3.5.1 点源

二维问题的一个比较简单例子是无限长脉动圆柱。又因为它有理论解,所以这一节将使用点源作为独立函数来讨论无限长脉动圆柱的声辐射逆问题。

和前面讨论的一样,来求点源的数目、分布均匀性,已知声压的测量点数目、分布均匀性,点源的总体形状对结果精度的影响。

3.5.1.1 点源的数目

一无限长圆柱,半径为 a,辐射声波的无量纲频率为 0.1,把表面振速均匀分布为 0.001 m/s 时根据声学理论计算出的声场的声压分布作为已知值,计算圆柱表面某些点的表面振速。

取 14 个测量点,沿垂直于中心轴的圆面均匀取,它们的 $z = 0$,距圆柱中心轴的距离等于 $2a$。

点源均匀分布在 $a/10$ 的圆面上,它们的 $z = 0$。

理论的表面振速为 0.001 m/s,计算的表面点 $(0, a)$ 的表面振速实部的相对误差如表 3-14 所示。

从表 3-14 可以看出,增加点源数目,可以大幅度地减小计算误差。

表 3-14　表面点 $(0,a)$ 计算的表面振速实部的相对误差

点源数目	4	6	8	10	14
相对误差(%)	0.419 1	0.004 5	1.732 2 E - 005	1.114 0 E - 007	3.477 2 E - 011

3.5.1.2　点源的分布

仍然使用上面的例子,下面来计算点源分布的均匀性对计算误差的影响。

使用 4 个点源,点源的半径为 $a/10$,点源的分布和计算的表面点 $(0,a)$ 的表面振速实部的相对误差如表 3-15 所示。

表 3-15　计算的表面点 $(0,a)$ 的表面振速实部的相对误差

点源	1	2	3	4	1	2	3	4
点源坐标(极角)(°)	0	90	180	270	0	45	90	135
相对误差(%)	0.177 1				3.262 3			
点源	1	2	3	4	1	2	3	4
点源坐标(极角)(°)	0	45	135	225	0	22.5	45	67.5
相对误差(%)	0.180 2				4.681 9			

由表 3-15 可以看出,所取源点越不均匀,结果误差越大。

3.5.1.3　点源位置

无量纲频率、测量点的划分方法、源点的划分方法和 3.5.1.1 相同,测量点和源点取为 8 个,则计算的表面点 1 的无量纲声压随 8 个源点所在圆的半径 b 与声源半径 a 的比值的变化如图 3-15

和图 3-16 所示。

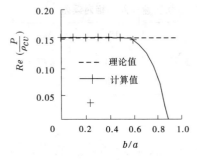
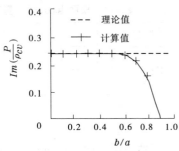

图 3-15　当 $ka=0.1$,已知 8 个
测量点的声压时,$(0,a)$ 点无
量纲声压实部随 b/a 的变化

图 3-16　当 $ka=0.1$,已知 8 个
测量点的声压时,$(0,a)$ 点无
量纲声压虚部随 b/a 的变化

从图 3-15、图 3-16 可以看出,当点源在 $(0\sim0.2)a$ 的圆面上时,计算的结果误差较小。

3.5.1.4　测量点的数目

无量纲频率、测量点的划分方法、源点的划分方法和 3.5.1.1 相同,取 10 个源点,沿垂直于中心轴的圆面均匀取,它们的 $z=0$,距圆柱中心轴的距离等于 $a/10$。

测量点在 $2a$ 的圆面上,沿垂直于中心轴的圆面均匀取。

理论的表面振速为 0.001 m/s,计算的表面点 $(0,a)$ 的表面振速实部的相对误差如表 3-16 所示。

表 3-16　计算的表面点 $(0,a)$ 的表面振速实部的相对误差

测量点数目	1	3	4	6	8	10
相对误差(%)	0.181 6	0.006 4	0.000 6	1.483 7E−5	1.732 2E−5	1.474 4E−5

从表 3-16 可以看出,增加测量点数,可以大幅度地减小计算误差。

3.5.1.5　测量点的分布

无量纲频率、测量点的划分方法、源点的划分方法和 3.5.1.1 相同,下面来计算测量点分布的均匀性对计算误差的影响。

使用 4 个测量点,测量点的半径为 $2a$,测量点的分布和计算的表面点 $(0,a)$ 的表面振速实部的相对误差如表 3-17 所示。

表 3-17　计算的表面点 $(0,a)$ 的表面振速实部的相对误差

测量点	1	2	3	4	1	2	3	4
坐标(极角)(°)	0	90	180	270	0	45	90	135
相对误差(%)	0.000 6				0.083 5			
测量点	1	2	3	4	1	2	3	4
坐标(极角)(°)	0	45	135	225	0	22.5	45	67.5
相对误差(%)	0.027 7				0.030 0			

由表 3-17 可以看出,所取测量点越不均匀,结果误差越大。

3.5.1.6　点源所在的形状

上面使用的是一圆面,实际上可以使用任意的形状。下面使用点源均在一正方形来计算声辐射逆问题。

仍然使用 3.5.1.1 的例子。

如图 2-6 所示,取 8 个测量点,沿垂直于圆柱中心轴的圆面均匀取,图中用 F_i($i=1,2,\cdots,8$)表示,它们的 $z=0$,距圆柱中心轴的距离等于 $2a$。

如图 3-8 所示,取 9 个源点,均匀分布在一正方形上,正方形的边长 b 从 0 变化到 a。

计算的表面点 $(0,a)$ 无量纲声压随源点所在正方形边长 b 与声源半径 a 比值的变化如图 3-17、图 3-18 所示。

可以看出,使用点源在一正方形上同样可以用来求解无限长脉动圆柱的声辐射逆问题。

　　通过这一节的讨论,可以看出,使用点源作为独立函数的 HELS 方法求解二维柱状声源的声辐射逆问题,有如下结论:

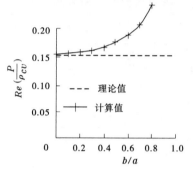 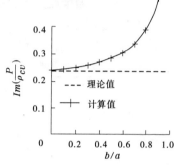

图 3-17　当 $ka=0.1$,已知 8 个测量点的声压时,$(0,a)$ 点无量纲声压实部随 b/a 的变化

图 3-18　当 $ka=0.1$,已知 8 个测量点的声压时,$(0,a)$ 点无量纲声压虚部随 b/a 的变化

　　(1)增加源点数目,可以大幅度地减小计算误差;

　　(2)所取源点数目越不均匀,结果误差越大;

　　(3)当点源在声源半径的 0～0.2 倍的圆面上时,计算的结果误差较小;

　　(4)增加测量点的数目,可以大幅度地减小计算误差;

　　(5)所取测量点越不均匀,结果误差越大;

　　(6)使用点源在一正方形上同样可以用来求解无限长脉动圆柱的声辐射逆问题。

　　因此,使用点源作为独立函数的 HELS 方法求解二维柱状声源的声辐射逆问题的适用范围是:振动情况比较简单的二维声源的声辐射逆问题。

3.5.2　偶极子源

　　和前面讨论的一样,来求偶极子源的数目、分布均匀性,已知声压的测量点数目、分布均匀性,偶极子源所在的总体形状对结果精度的影响。

3.5.2.1　偶极子源的数目

一半径为 a 的无限长圆柱声源,辐射的无量纲频率是 10。取 4 个测量点,沿垂直于中心轴的圆面均匀取,它们的 $z = 0$,距圆柱中心轴的距离等于 $2a$。

源点在 $a/10$ 的圆面上,沿经向均匀取。

理论的表面振速为 0.001 m/s,计算的表面点 $(0, a)$ 的表面振速实部的相对误差如表 3-18 所示。

表 3-18　计算的表面点 $(0, a)$ 的表面振速实部的相对误差

偶极子源数目	4	6	8	10	14
相对误差(%)	0.281 0	0.113 6	0.117 9	0.117 9	0.117 9

从表 3-18 可以看出:增加偶极子源数目,可以减小计算误差。但当偶极子数目增加到一定数目时,再增加偶极子数目,对计算误差的影响较小。

3.5.2.2　偶极子源的分布

一半径为 a 的无限长圆柱声源,辐射的无量纲频率是 10。取 4 个测量点,沿垂直于中心轴的圆面均匀取,它们的 $z = 0$,距圆柱中心轴的距离等于 $2a$。下面来计算偶极子源分布的均匀性对计算误差的影响。

使用 4 个偶极子源,偶极子源所在圆的半径为 $a/10$,偶极子源的分布和计算的表面点 $(0, a)$ 的表面振速实部的相对误差如表 3-19 所示。

由表 3-19 上可以看出,所取偶极子源点越不均匀,结果误差越大。

3.5.2.3　偶极子源位置

一半径为 a 的无限长圆柱声源,辐射的无量纲频率是 10。如

图 2-6 所示,取 8 个测量点,沿垂直于中心轴的圆面均匀取,图中用 $F_i(i=1,2,\cdots,8)$ 表示,它们的 $z=0$,距圆柱中心轴的距离等于 $2a$。

如图 2-6 所示,取 8 个源点,沿垂直于中心轴的圆面均匀取,图中用 $S_i(i=1,2,\cdots,8)$ 表示,它们的 $z=0$,距圆柱中心轴的距离从 0 变化到 a。

计算的表面点 $(0,a)$ 无量纲频率随源点所在圆半径 b 与声源半径 a 比值的变化如图 3-19 和图 3-20 所示。

表 3-19　计算的表面点 $(0,a)$ 的表面振速实部的相对误差

偶极子源点	1	2	3	4	1	2	3	4
坐标(极角)(°)	0	90	180	270	0	45	90	270
相对误差(%)	0.281 0				16.707 2			
偶极子源点	1	2	3	4	1	2	3	4
坐标(极角)(°)	0	45	135	225	0	22.5	45	67.5
相对误差(%)	12.028 2				0.898 0			

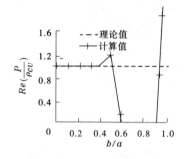

图 3-19　当 $ka=10$,已知 8 个测量点的声压时,$(0,a)$ 无量纲声压实部随 b/a 的变化

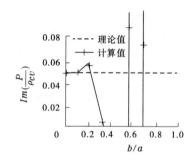

图 3-20　当 $ka=10$,已知 8 个测量点的声压时,$(0,a)$ 无量纲声压虚部随 b/a 的变化

从图上可以看出,当偶极子源在声源半径的 0~0.2 倍的圆面上时,计算的结果误差较小。

3.5.2.4　测量点的数目

一半径为 a 的无限长圆柱声源,无量纲频率是 10。取 4 个源点,沿垂直于圆柱中心轴的圆面均匀取,它们的 $z = 0$,距圆柱中心轴的距离等于 $a/10$。

测量点在 $2a$ 的圆面上,沿垂直于圆柱中心轴的圆面均匀取。

理论的表面振速为 0.001 m/s,计算的表面点 $(0, a)$ 的表面振速实部的相对误差如表 3-20 所示。

表 3-20　计算的表面点 $(0, a)$ 的表面振速实部的相对误差

测量点数目	4	6	8	10	12	14
相对误差(%)	0.118 6	0.117 9	0.117 9	0.117 9	0.117 9	0.117 9

从表 3-20 可以看出,增加测量点数,可以减小计算误差,但当测量点数目增加到一定数目时,再增加测量点数目,对计算误差的影响较小。

3.5.2.5　测量点的分布均匀性

一半径为 a 的无限长圆柱声源,辐射的无量纲频率是 10。下面来计算测量点分布的均匀性对计算误差的影响。

使用 4 个测量点,测量点的半径为 $2a$,测量点的分布和计算的表面点 $(0, a)$ 的表面振速实部的相对误差如表 3-21 所示。

表 3-21　计算的表面点 $(0, a)$ 的表面振速实部的相对误差

测量点	1	2	3	4	1	2	3	4
坐标(极角)(°)	0	90	180	270	0	45	90	135
相对误差(%)	0.118 6				0.272 5			
测量点	1	2	3	4	1	2	3	4
坐标(极角)(°)	0	45	135	225	0	22.5	45	67.5
相对误差(%)	0.159 7				0.226 4			

　　由表 3-21 可以看出,所取测量点越不均匀,结果误差就越大。

3.5.2.6　偶极子源所在的形状

　　上面例子中的偶极子源都在一圆面上,实际上可以使用任意的形状。下面使用点源均在一正方形上来计算声辐射逆问题。

　　一半径为 a 的无限长圆柱声源,辐射的无量纲频率是 10。如图 2-6 所示,取 8 个测量点,沿垂直于圆柱中心轴的圆面均匀取,图中用 $F_i(i=1,2,\cdots,8)$ 表示,它们的 $z=0$,距圆柱中心轴的距离等于 $2a$。如图 3-8 所示,取 9 个源点,均匀分布在一正方形上,正方形的边长 b 从 0 变化到 a。

　　计算的表面点 $(0,a)$ 无量纲频率随源点位置的变化如图 3-21 和图 3-22 所示。

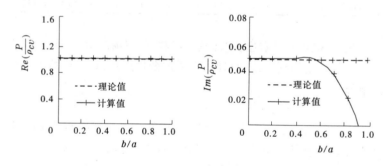

图 3-21　当 $ka=10$,已知 8 个测量点的声压时,$(0,a)$ 点无量纲声压实部随 b/a 的变化　　**图 3-22　当 $ka=10$,已知 8 个测量点的声压时,$(0,a)$ 点无量纲声压虚部随 b/a 的变化**

　　可以看出,使用偶极子源在一正方形上同样可以用来求解二维声辐射逆问题。但同时可以看出,偶极子源的整体形状也是影响计算结果精度的因素之一。

　　通过这一节的讨论,可得出,使用偶极子源求解无限长脉动圆柱的声辐射逆问题,一般有如下结论:

　　(1)增加偶极子源数目,可以减小计算误差;但当偶极子数目增加到一定数目时,再增加偶极子数目,对计算误差的影响较小。所取源点越不均匀,结果误差越大。

(2)偶极子源越靠近声源中心,计算结果的误差越小。当偶极子源在半径等于声源半径的 0.2 倍的圆面上时,计算的结果误差较小。

(3)增加测量点数目,可以减小计算误差。但当测量点数目增加到一定数目时,再增加测量点数目,对计算误差的影响较小。所取测量点越不均匀,结果误差就越大。

(4)使用偶极子源在其他形状的轮廓上(如正方形上),也可用来求解这一问题。

3.6　小　结

本章选取三维声源和二维声源,分别分析了独立函数为球谐函数、点源、偶极子源、柱波函数的 HELS 方法的精度情况,并分析了精度的影响因素——独立函数的数目、测量点的数目、测量点的距离、频率、源球半径、源点均匀性等对求解精度的影响。结论如下:

(1)使用球谐函数作为独立函数的 HELS 方法求解球状声源的声辐射逆问题,则测量点数目越多,计算结果一般越准确;当用较多数目的独立函数求解时,数目越多,计算结果误差有可能越大。本书提出的解决办法是:人为地减小在测量点展开项的独立函数相差值;测量点离脉动球球心的距离对计算结果的精度影响不是很直接;使用球谐函数作为独立函数的 HELS 方法的适用范围是:表面振动情况不是十分复杂的球状声源的声辐射逆问题。

(2)使用柱波函数作为独立函数求解柱状声源的声辐射逆问题,则测量点数目对计算结果的影响没有呈现出一定的规律性,但计算结果的误差一般都较小;当用较多数目的独立函数求解时,数目越多,计算结果误差有可能越大。本书提出的解决办法是:人为地减小在计算点展开项的独立函数相差值；测量点离脉动柱中心轴的距离对计算结果的精度影响不是很大；使用柱波函数作为独立函数的 HELS 方法的适用范围是：较为简单的柱状或接近柱状声源的声辐射逆问题。

(3)使用点源作为独立函数的 HELS 方法求解球状声源的声辐射逆问题，则在很多的无量纲频率，点源越靠近球心，计算结果越准确。当点源所在球半径为脉动球半径的 1/2 时，精度仍然较高；使用点源数目越多、越均匀，计算结果越准确；测量点数目比所使用的点源数目多，可以求得最小二乘解；且计算结果的精度与测量点的数目和分布均匀性没有明显的规律可循，不过计算结果的误差都很小；即使使用点源在一立方体表面或其他形状的表面上也有可能求解这一问题。使用点源作为独立函数的 HELS 方法的适用范围是：振动情况比较简单的三维声源的声辐射逆问题。

(4)使用偶极子源作为独立函数的 HELS 方法求解球状声源的声辐射逆问题，精度一般不如点源，源点越靠近球心，计算结果越准确，在源点所在球半径为脉动球半径的 1/5 时，计算结果仍然相当准确；源点数目越多，计算结果精度越高，当源点数目超过一定时，计算结果的精度变化不是很大；源点的分布均匀性对结果的精度影响不是很大；测量点的数目大于偶极子源的数目时，可以求得最小二乘解。此时，测量点的数目和分布均匀性对计算结果影响的规律性不是很明显，但计算结果的误差一般较小；所有偶极子源均在一立方体表面上或其他形状的表面上也有可能求解这一问题。使用偶极子源作为独立函数的 HELS 方法的适用范围是：振动情况比较简单的三维声源、在高频声波附近的声辐射逆问题。

(5)使用点源作为独立函数的 HELS 方法求解二维柱状声源的声辐射逆问题，则增加源点数目，可以大幅度地减小计算误差；所取源点数目越不均匀，结果误差越大；当点源在声源半径的 0～0.2 倍的圆面上时，计算的结果误差较小；增加测量点的数目，可以大幅度地减小计算误差;所取测量点越不均匀,结果误差越大;使用点源在其他形状的轮廓上(例如一正方形上)同样可以用来求解无限长脉动圆柱的声辐射逆问题。使用点源作为独立函数的HELS 方法求解二维柱状声源的声辐射逆问题的适用范围是:振动情况比较简单的二维声源的声辐射逆问题。

(6)使用偶极子源作为独立函数的 HELS 方法求解无限长脉动圆柱的声辐射逆问题,则增加偶极子源数目,可以减小计算误差;但当偶极子数目增加到一定数目时,再增加偶极子数目,对计算误差的影响较小。所取源点越不均匀,结果误差越大。偶极子源越靠近声源中心,计算结果的误差越小。当偶极子源在半径等于声源半径的 0.2 倍的圆面上时,计算的结果误差较小;增加测量点数目,可以减小计算误差。但当测量点数目增加到一定数目时,再增加测量点数目,对计算误差的影响较小。所取测量点越不均匀,结果误差就越大;使用偶极子源在其他形状的轮廓上(如正方形上),也可来求解这一问题。使用偶极子源作为独立函数的HELS 方法求解二维柱状声源的声辐射逆问题的适用范围是:振动情况比较简单的二维声源,而且在高频的声辐射逆问题。

第 4 章　HELS 方法仿真计算与工程应用

　　前面章节讨论的模型应用于实际声学环境,可以解决许多实际声学问题。本章将对故障诊断与噪声源分析、相位分析、声环境设计、声源控制等实际工程问题运用前面介绍的方法进行仿真计算,并求解一个实际的工程应用问题。

4.1　故障诊断与噪声源分析

　　为进行噪声故障诊断,必须首先知道声源的情况,这也是声辐射逆问题研究的内容。借助于声辐射逆问题的研究,就可以根据声场中声压信号的改变来推知声源表面的振动情况,这样就可以分析出声源的情况,以便于噪声故障诊断。下面就来根据声场中的声压信号,求出声源表面的振动情况,为声源分析和故障诊断提供依据。

4.1.1　球状声源

　　下面将分别使用球谐函数和点源作为独立函数来求解特例 I。

4.1.1.1　特例 I

　　首先来计算一个特例。一脉动球声源,已知声场声压分布和无量纲频率 ka,则根据第 2 章的理论,可以求出声源表面的振动情况。

　　现假定声源因为某种故障,声场的声压分布发生了变化,可以测得声场中的声压分布。为求出声源的表面振动情况,计算时,需取声场中若干测量点的声压值作为已知值。现假定所取声场中某一测量点的声压在声源发生故障之后发生了变化,其他测量点的声压不发生变化,来计算声源表面的振动变化情况。

所用计算参数:脉动球半径为 0.03 m,频率为 600 Hz,声速为 341 m/s,媒质密度为 1.2 kg/m³。所取测量点全在半径为 0.06 m 的一球面上,此球面与脉动球同球心。声源有故障前,所有测量点的声压为 0.039 10 - 0.051 2 i(Pa)(约为 67 dB)。声源发生了故障之后,假定仅有测量点(0,0,0.06)(直角坐标系)的声压变为 0.078 2 - 0.102 4 i(Pa)(约为 73 dB),其他测量点的声压不发生变化。下面来计算声源表面的振动变化情况。

测量点的划分如表 4-1 所示。

表 4-1　使用球谐函数所取的 7 个测量点的球坐标

测量点		1	2	3	4	5	6	7
球坐标值 (°)	θ	0	30	60	90	120	150	180
	φ	0						
	r	0.06						

声源某种故障,仅导致测量点 1 的声压发生了变化,其他 6 个测量点的声压不发生变化。首先使用球谐函数作为独立函数,来计算声源表面的声压分布和振速分布。计算后表面声压实部和表面振速实部如图 4-1 和图 4-2 所示。

下面使用点源作为独立函数,重新计算这个例子。

源点的半径为 0.005m,划分和测量点的划分类似。则可以据此计算出声源的表面声压和表面振速。图 4-3、图 4-4 是计算的声源 $\varphi = 0$ 纵剖面的表面声压和表面振速。

比较图 4-1、图 4-2 和图 4-3、图 4-4 可以得知,当声场中某一点的声压发生了变化,可以断定是声源发生了某种变化。声源究竟如何变化,通过上述分析得知,声源表面离变化的那一点最近的表面点变化最为明显,且这一表面点附近的表面点变化较为激烈,

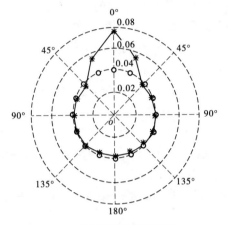

○ —变化前的表面声压实部

* —变化后的表面声压实部

图 4-1　球表面声压实部分布纵剖面图　（单位:Pa）

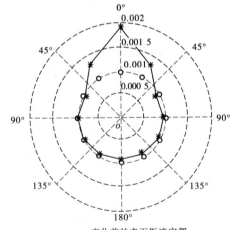

○ —变化前的表面振速实部

* —变化后的表面振速实部

图 4-2　球表面振速实部分布纵剖面图　（单位:m/s）

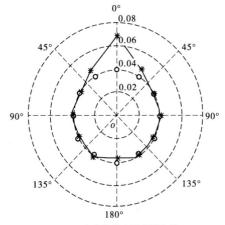

图 4-3　球表面声压实部分布纵剖面图　（单位：Pa）

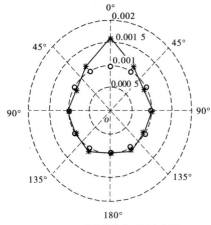

图 4-4　球表面振速实部分布纵剖面图　（单位：m/s）

离这一表面点距离较远的表面点变化不太明显。

4.1.1.2　特例 II

4.1.1.1 的例子是声场中仅有一点的声压发生了变化,是不是具有特殊性? 再来计算一个整个声场声压全部发生改变的例子。

一球声源,半径为 0.03 m,向无穷远自由空间辐射频率为 600 Hz 的声波。

现假定声源出现了某种故障,可以通过测量而得到测量点的声压。这样,通过前面的计算模型,就可以计算得到声源表面的表面振速和表面声压。

为计算方便起见,假定在故障发生前,均匀径向振速为 0.001 m/s,根据声学理论公式计算的声场声压分布作为在声场中通过测量可以得到的已知声压值。又假定在故障发生以后,声源在保持原脉动辐射的同时,沿某一轴做速度为 0.001 m/s 的摆动,同样可以根据声学理论公式计算出声场声压分布,以此作为故障发生后可以测量到的测量点声压值。

所用计算参数:声速为 341 m/s,媒质密度为 1.2 kg/m^3,声源沿 z 轴方向摆动。

所取测量点和源点与 4.1.1.1 相同。

当使用球谐函数作为独立函数时,表面点的选取如表 4-2 所示,则计算结果如表 4-3 所示。

表 4-2　表面一些点的球坐标

表面点		1	2	3	4	5	6	7
球坐标值 (°)	θ	0	30	60	90	120	150	180
	φ	0						
	r	0.03						

表4-3　表面一些点的表面振速计算值和理论值

表面点	1	2	3	4
表面振速计算值 (10^{-3} m/s)	2.000 0 + 0.000 0 i	1.866 0 + 0.000 0 i	1.500 0 − 0.000 0 i	1.000 0 − 0.000 0 i
表面振速理论值 (10^{-3} m/s)	2	1.866	1.5	1
表面点	5	6	7	
表面振速计算值 (10^{-3} m/s)	0.500 0 + 0.000 0 i	0.134 0 − 0.000 0 i	0.000 0 − 0.000 0 i	
表面振速理论值 (10^{-3} m/s)	0.5	0.134	0	

表4-2为随意选择的一些表面点的球坐标,表4-3为这些点的计算表面振速和理论表面振速(单位为:m/s)。

表4-3中的计算值和理论值完全一致。从中可以看到,当脉动球声源由于某种故障而发生摆动时,声场的声压将随之发生变化。如果变化后的声场声压已知,根据声场声压的变化,可以推得声源的表面振速和表面声压,与变化前的声源的表面振速和表面声压相比较,就得到声源表面振动的变化情况。据此,可以进行声源分析和故障诊断。

使用点源可得出同样结论,在此作者不再赘述。本章中所有其他例子均可使用两种以上的方法来求解,但为节省篇幅起见,作者仅用一种方法,并且不再声明。

4.1.2　柱状声源

一无限长圆柱声源,半径为 a,现假定已知声场中某一与圆柱中心轴相垂直的圆面上一些测量点的声压值,其中有一测量点的声压值为其余测量点声压值的2倍,其余测量点的声压值完全相同,使用柱波函数作为独立函数来计算圆柱表面声压值和表面振速值。

所用的计算参数有:无量纲频率 ka 为 1,声速为 341 m/s,媒质密度为 1.2 kg/m³,已知声压的测量点共有 40 个,它们的 $z=0$,沿垂直于圆柱中心轴的圆面均匀分布,距圆柱中心轴的距离等于 $2a$。如果所有测量点的声压均为(0.19+0.22 i)Pa(约为 80 dB),此时可根据式(2-10)、式(2-11)计算出表面任一点的表面声压和表面振速。现在有意把 $\varphi=0$ 的测量点的声压变为(0.38+0.44 i)Pa(约为 86 dB),其余点的声压仍为(0.19+0.22 i) Pa,再来根据式(2-10)、式(2-11)计算出表面任一点的表面声压值和表面振速值。和声压改变前的计算结果相比较,结果如图 4-5、图 4-6 所示。图中极角表示声源表面点在柱坐标中的 φ 角。当所有测量点的声压均为(0.19+0.22 i) Pa 时,计算的表面声压实部和表面振速实部值分别用图 4-5、图 4-6 中符号○所在点离极坐标中心 o 的距离来表示;当 $\varphi=0$ 的测量点的声压变为(0.38+0.44 i) Pa,其余测量点的声压仍为(0.19+0.22 i) Pa 时,计算的表面声压实部和表面振速实部值分别用图 4-5、图 4-6 中符号 * 所在点离极坐标中心 o 的距离来表示。图中,表面声压单位为 Pa,表面振速单位为 m/s。

从图 4-5、图 4-6 上可以看出,与 $\varphi=0$ 测量点距离最近的声源表面点的表面声压变化最大,并且此声源表面点附近的声压变化较大,声源表面其余点的声压变化则不太明显。经过以上声源分析,就可以据此来对声源进行故障诊断,以便对声源进行针对性处理,达到噪声控制的目的。

由 4.1.1 和 4.1.2 的分析,可以根据声场中的声压信号的改变,来推知声源表面的振动变化情况,依据这些科学的分析,便能准确地进行故障诊断和噪声源分析,从而达到最初研究声辐射逆问题的初衷。

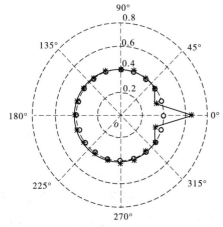

○ —变化前的表面声压实部

✳ —变化后的表面声压实部

图 4-5 柱表面声压 （单位:Pa）

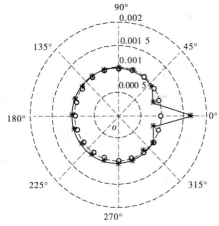

○ —变化前表面振速实部

✳ —变化后表面振速实部

图 4-6 柱表面振速 （单位:m/s）

4.2 相位分析

如果通过调整声源的相位来进行噪声控制,有时将相当简单且可行。下面通过一些例子来探讨声源的相位和声场的相位之间的关系。

4.2.1 球状声源

一脉动球,已知声场声压分布,可以求出声源表面的振动情况。

现假定声源因为某种故障,声场的声压分布发生了变化,可以测得声场的声压分布。为求出声源的表面振动情况,计算时,需取声场中若干测量点的声压作为已知值。现假定所取声场中某些测量点的声压的相位发生了变化,但声压级不变。其他测量点的声压不发生变化,来计算声源表面的振动情况。

所用计算参数:脉动球半径为 0.03 m,频率为 600 Hz,声速为 341 m/s,媒质密度为 1.2 kg/m³。所取测量点全在半径为 0.06 m 的一球面上,此球面与脉动球同球心。声源有故障前,所有测量点的声压为(0.039 10 − 0.051 2 i)Pa(约为 67 dB)。声源发生了故障之后,假定所有测量点的声压幅值不变(仍为 67 dB),仅有一些测量点的相位发生变化,变为(0.039 10 + 0.051 2 i)Pa,其他测量点的声压不发生变化。下面来计算声源表面的振动情况。

使用点源作为独立函数,来计算这个例子。测量点的划分:沿纬度均匀划分为 12 份,沿经度均匀划分为 6 份,图 4-7 所示为测量点所在球 $\varphi = 0$ 的纵剖面上测量点的分布情况。把 1～31 点的声压改变为(0.039 10 + 0.051 2 i)Pa,32～62 点的声压不变,来计算变化前后的表面振速值和表面声压值。

源点和表面点所在球的的半径分别为 0.005 m 和 0.03 m 的圆面上,它们的划分方法和测量点的划分类似,则可以据此计算出声源的表面声压和表面振速。图 4-8、图 4-9 是计算的声源 $\varphi = 0$

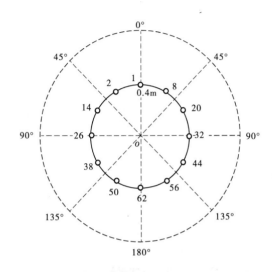

图 4-7　声场测量点和声源表面节点的划分

纵剖面上表面点的表面声压和表面振速。

　　从图上可以看出,表面点 26 和表面点 32 的表面声压和表面振速变化最大,表面点 14 和表面点 20 的变化比较大。从中可以看出,如果对声场中某些点的相位进行改变,声源表面的性质有可能发生较大的改变。同样地,如果声源表面的相位发生改变,声场的性质也有可能发生比较大的改变。这样,就可以通过控制声源的相位来达到噪声控制的目的。

4.2.2　柱状声源

　　上面的例子是对球状声源的,再来计算一个柱状声源的例子。

　　一半径为 a 的无限长脉动圆柱,已知声场声压分布和无量纲频率。可以据此通过前面介绍的方法计算出表面振速和表面声压。

　　现假定声场声压分布发生了某种变化:某些已知声压点的声

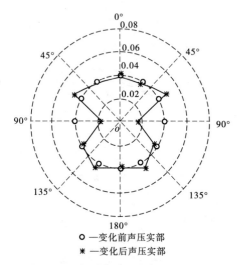

图 4-8　球表面声压实部分布纵剖面图 （单位:Pa）

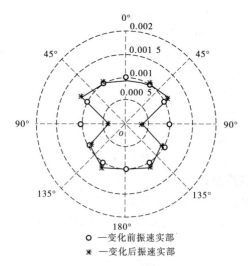

图 4-9　球表面振速实部分布纵剖面图 （单位:m/s）

压相位发生了变化,声压级不变,其余已知声压点的声压不发生变化,来计算这种情况下声源表面的表面声压和表面振速。

　　所用的计算参数有:无量纲频率 ka 为 1,声速为 341 m/s,媒质密度为 1.2 kg/m³,已知声压的测量点共有 40 个,它们的 $z=0$,距圆柱中心轴的距离等于 $2a$,沿垂直于中心轴的圆面均匀分布如图 4-10 中外圆所示。为准确描述测量点的坐标,列表如表 4-4 所示。

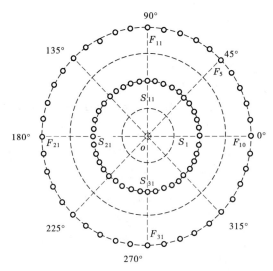

图 4-10　柱横剖面、柱表面节点和声场测量点的划分(其中 $z=0$)

表 4-4　某些测量点的柱坐标

测量点		F_1	F_2	F_3	F_5	F_6	F_{11}	F_{16}	F_{21}	F_{26}	F_{31}	F_{36}	F_{40}
柱坐标值(°)	φ	0	9	18	36	45	90	135	180	225	270	325	351
	z	0											
	r	$2a$											

如果所有测量点的声压均为$(0.19 + 0.22\ \mathrm{i})$ Pa,此时可根据前面所述计算出表面任一点的表面声压和表面振速。

为计算方便起见,仅计算如图 4-10 内圆所示表面点 S_i $(i = 1, 2, \cdots, 40)$ 的表面声压和表面振速。

现在假定声源发生了某种故障,测量点的声压有所变化。其中有一半的已知声压的测量点 F_i $(i = 1, 2, \cdots, 10, 31, \cdots, 40)$ 的声压变为$(0.19 - 0.22\ \mathrm{i})$ Pa,其余点的声压仍为$(0.19 + 0.22\ \mathrm{i})$ Pa,再来计算表面点的表面声压值和表面振速值。和声压改变前的计算结果相比较,结果如图 4-11、图 4-12 所示。

图中极角表示声源表面点在柱坐标中的 φ 角。当所有测量点的声压均为$(0.19 + 0.22\ \mathrm{i})$ Pa 时,计算的表面声压实部和表面振速实部值分别用图 4-11、图 4-12 中符号○所在点离极坐标中心 o 的距离来表示;测量点 F_i $(i = 1, 2, \cdots, 10, 31, \cdots, 40)$ 的声压变为$(0.19 - 0.22\ \mathrm{i})$ Pa,其余测量点的声压不变时,计算的表面声压实部和表面振速实部值分别用图 4-11、图 4-12 中符号 * 所在点离极坐标中心 o 的距离来表示。图中,表面声压单位为 Pa,表面振速单位为 m/s。

从图 4-11、图 4-12 可以看出,对柱所产生的声场的某些点的相位进行改变,即使声压级不变,声源表面仍产生很大的改变。同样可以计算得出,声源表面的表面声压相位改变,声场的声压分布也会有相当大的改变。这样,通过上述分析,就可以通过相位调整的办法来达到噪声控制的目的。

由 4.2.1、4.2.2 的讨论可以看出,利用前面讨论建立的计算模型,能够通过相位调整,达到改变声场声压分布的目的。

4.3　声环境设计

除噪声控制之外,声辐射逆问题还可用于声环境设计。

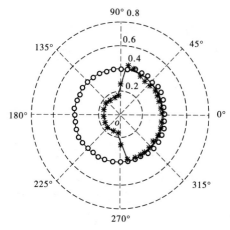

○—变化前的表面声压实部

＊—变化后的表面声压实部

图 4-11　柱表面声压实部分布纵剖面图　（单位：Pa）

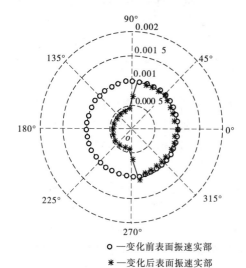

○—变化前表面振速实部

＊—变化后表面振速实部

图 4-12　柱表面振速实部分布纵剖面图　（单位：m/s）

4.3.1 球状声源

如果有一球状声源,并已知声环境的特定要求,通过选取点源作为独立函数,可以计算出声源表面的振动情况,以达到此声环境的要求。

所用计算参数:球声源半径为 0.03 m,频率为 600 Hz,声速为 341 m/s,媒质密度为 1.2 kg/m³。所取有声环境要求的点与上一节的测量点相同。共 62 个这样的点,均匀分布在半径为 0.06 m 的一球面上,此球面与球声源同球心。其中声场中 F_i ($i = 1, 2,$ …,13)点的声压要求为(0.039 1 − 0.051 2 i) Pa(约为 67 dB),F_i ($i = 14, 15,$…,42)点的声压要求为(0.078 2 − 0.102 4 i) Pa(约为 73 dB),F_i ($i = 43, 44,$…,62)点的声压要求为(0.117 3 − 0.153 6 i) Pa(约为 77 dB)。

源点所在球面的半径为 0.05 m,划分和测量有声环境要求的点的划分类似。则可以据此计算出声源的表面声压和表面振速。为清楚表示起见,同时计算了测量点声压均为(0.039 1 − 0.051 2 i) Pa(约为 67 dB)时声源的表面振速和表面声压。图 4-13、图 4-14 是计算的声源 $\varphi = 0$ 纵剖面的表面声压和表面振速。表面点的选择和 4.2.1 相同。

从图上可以看出,如果某场点声压情况与其他场点差异较大,与其距离最近的声源表面点的表面振动情况也和其他点的差异较大。同时也可得出结论,某场点声压不发生变化,并不意味着和其距离最近的声源表面点的声压不发生变化。

通过以上声源分析,就可以着手进行声环境设计,以达到特定的声环境要求。

4.3.2 柱状声源

上面的例子是对球状声源的,再来计算一个柱状声源的例子。一无限长柱状声源,半径为 a ,如果已知声环境的特定要求,可以计算出声源表面的振动情况。

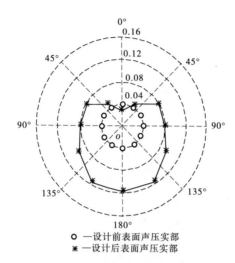

图 4-13　球表面声压实部分布纵剖面图　（单位：Pa）

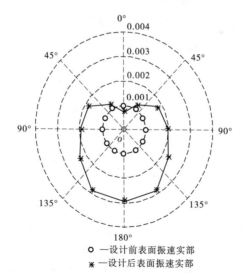

图 4-14　球表面振速实部分布纵剖面图　（单位：m/s）

所用的计算参数有:无量纲频率 ka 为 1,声速为341 m/s,媒质密度为 1.2 kg/m³,已知声压的测量点共有 40 个,它们的 $z=0$,距圆柱中心轴的距离等于 $2a$,沿垂直于圆柱中心轴的圆面均匀分布,如图 4-10 中外圆所示。

如果要求声场中点 $F_i(i=11,12,\cdots,31)$ 的声压为 $(0.38+0.44\ i)$ Pa(约为 86 dB),其余已知点 $F_i(i=1,2,\cdots,10,32,\cdots,40)$ 声压要求为 $(0.19+0.22\ i)$ Pa(约为 80 dB)。此时可根据前面所述计算出表面任一点的表面声压和表面振速。

为计算方便起见,仅计算如图 4-10 内圆所示表面点 S_i $(i=1,2,\cdots,40)$ 的表面声压和表面振速。为比较清楚起见,同时计算了所有已知点的声压均为 $(0.19+0.22\ i)$ Pa(约为 80 dB)的情况,结果如图 4-15、图 4-16 所示。

从图上可以得出和球声源相似的结论,即:一般说来,声场中某点声压较大,它所对应的声源表面点的表面声压和表面振速也较大。并且可以看到,声场中声压变化幅度大的声场点(图中 F_{10}、F_{11} 和 F_{31}、F_{32})其对应的声源表面的表面声压和表面振速的变化也较大。在这样分析之后,就可以有的放矢地进行声环境设计。

由 4.3.1 和 4.3.2 的讨论可知,如果已知了声环境声压要求,可以据此计算出声源的表面振动情况,为下一步的声源设计提供依据。

4.4　声源控制

如果声源已经存在,为达到特定的声环境要求,需要对声源追加附加的措施。一般的做法是对声源进行减振、隔声。通过以上的声源分析,设想:能不能通过再设计一个声源,不改变原来的声源而达到特定的声环境要求? 因为在某些情况下,改变原有声源不太方便,但附加一声源则相对较为简单。为此,下面进行研究。

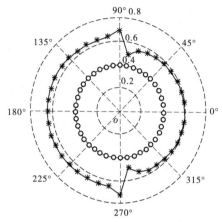

○ —设计前的表面声压

* —设计后的表面声压

图 4-15 柱表面声压 （单位：Pa）

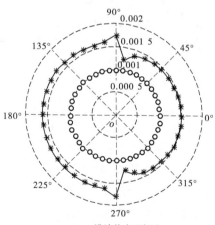

○ —设计前表面振速

* —设计后表面振速

图 4-16 柱表面振速 （单位：m/s）

为计算方便起见,假定附加声源所产生的声场对原有声源的表面振动情况并不产生任何影响。

一声源、半径、声场声压分布、声压频率已知,如果要达到某一声环境要求,可以在声场中再放置一球状声源(见图 4-17)。取简单的情况,使用独立函数为球谐函数的模型来计算。

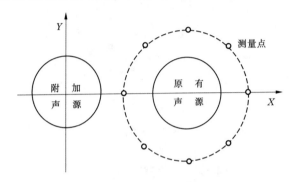

图 4-17　声场示意图

有关计算参数:声源为球,半径 0.1 m,声压频率为 $1\,000$ Hz,声速为 341 m/s,媒质密度为 1.2 kg/m^3,仅有 8 个点有特定的声环境要求,其目的就是使这 8 个点达到要求的声环境声压。

取这 8 个有声环境要求的点作为测量点,它们距此脉动球球心的距离为 0.2 m,φ 为 0,θ 从 0 均匀变化到 $180°$(不包括 $180°$)。8 个测量点的声压为 $(0.381\,1-0.103\,4\,\mathrm{i})$ Pa(约 86 dB)。这 8 个测量点的位置和特定声环境要求如表 4-5 所示。

由声环境要求声压减去原有声源所产生的声压,就得到了附加的声源在测量点所应有的声压,这样就可以利用前面的计算模型求出待求声源的表面声压和表面振速。

假定所附加的声源为球状声源,距原声源距离为 0.4 m,半径也为 0.1 m,和原有声源同时振动。

表 4-5　声场中测量点的直角坐标和其特定的声环境要求

测量点		1	2	3	4	5	6	7	8
球坐标值	x	0.600 0	0.541 4	0.400 0	0.258 6	0.200 0	0.258 6	0.400 0	0.541 4
	y	0	0.141 4	0.200 0	0.141 4	0.000 0	−0.141 4	−0.200 0	−0.141 4
	z	0							
声压		0.381 1 − 0.103 4 i							
声环境要求的声压		0.431 9 − 0.145 3 i	0.309 7 − 0.079 7 i	0.391 5 − 0.199 5 i	0.524 0 − 0.117 8 i	0.191 3 − 0.157 7 i	0.524 0 − 0.117 8 i	0.391 5 − 0.199 5 i	0.309 7 − 0.079 7 i

　　这样可以求得附加声源表面振速均匀分布为 0.001 0 m/s。

　　上面计算是特设的一个例子,现实生活中,确有类似的例子。譬如,在汽车驾驶室中,仅在驾驶员的耳边等若干个点有特定的声环境要求。如果已经清楚驾驶室内的声压分布,可以通过附加一声源使这几个特定点达到特定的声环境要求。

　　同样地,可以附加一柱状声源来进行上面同样的计算,此时计算得到表面振速将比较复杂。因方法、计算技巧与上相似,此处不再多叙。

　　现实生活的某些特定的声环境要求也许比较复杂,这样计算出来的附加声源的表面振动情况就比较复杂。为使用比较简单的声源,可以调整附加声源的相位,或是调整两个声源之间的距离,或是改变附加声源的形状,或是不同地方附加多个简单的声源。

　　这种方法的极端情况就是在原声源上加入一个与原声源极性相反、强度相等的新声源,使新声源与原声源组成一个复合声源,这个复合声源不辐射声波或是辐射比原有声源小得多的声功率,这样就达到了声源控制的目的,这种技术称为有源噪声控制技术,它在 20 世纪 80 年代以来有了重大进展,可参阅文献[42]、[43]。

4.5　HELS方法的实际应用

本节的主要目的在于说明如何利用HELS方法基于一些简单的声压测量点来重建复杂的结构产生的声场。

实验的结构是一个同车辆结构相同的形状和尺寸，在实验结构内部安放一个模拟发动机噪声源。这个发动机噪声源是具有发动机和齿轮箱的形状，上面各个方向有传播噪声的许多扬声器。这些模拟发动机噪声源能够激发机体振动，从而产生结构噪声。由于结构的复杂性，无法通过理论方法来分析振动的情况，也无法测得结构内部的激振力。本节将利用HELS方法来通过一定数量的实验测量点来重构出另外一些实验测量点的声压，并把重构值与实验值相比较。

4.5.1　实验

本实验研究设计一个车辆的前部，同真实的车辆前部完全相同，其外形如图4-18所示。为观察舒适起见，移去了挡风玻璃、轮胎、后视镜。

车辆前部的基本形状由 6 mm 厚的钢杆组成，外面被一层线网和纸型包裹，后面有一层混合的节点，这种组合保证了具有足够的硬度和刚度。这样做的目的是为了保证车辆内有充足的空间来盛放起落架。这个车辆放在一个消声室内的一个车辆高度处。

为了模拟发动机噪声，发动机噪声模拟器 ENS(见图 4-19)安放在车辆内发动机位置上。ENS 外型尺寸为 73 cm × 62 cm × 24 cm。ENS 的 6 个面上都装有凹陷的扬声器。扬声器尺寸和电子设备不同，因此这样每个扬声器能够发出白噪声。ENS 被一个配电盘控制已允许选择不同方向的扬声器组合。

实验的有效性可以通过车辆的上面、前部和右表面来验证。在两个平行的平面上来测量声压，一个离车辆 12 cm 处(称为测量面)，另一个位于离车辆 1 cm 处(称为重建面)(见图 4-20)。测量

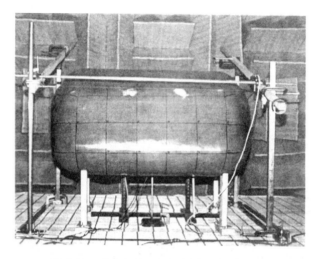

图 4-18　消声室内一个复杂的车辆全部模型

图 4-19　用于生成白噪声的车辆前部的
发动机噪声模拟器(ENS)

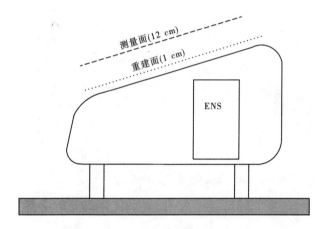

图 4-20　在车辆前部的 ENS、测量面和重建面

面上收集到的声压作为HELS公式的输入信号,来计算重建面上的声压谱和声压分布,结果同在相同面上测量的点相比较。

　　由于缺乏足够多的精确传声器,声场声压的收集仅使用一个单独的麦克风。相应地,传声器被手动地从一个测量点挪到另一个测量点,这使整个测量时间延长。为克服在整个信号采集过程中的信号迁移问题,测量了每个测量点和固定在 ENS 旁边的参考麦克风的迁移函数。一旦所有点的迁移函数测量之后,它们乘以参考点的声压,这就近似地等于所有测量点的测量声压。

　　图 4-21 显示了 ENS 由于车辆前部存在的噪声谱。如果没有前部,则谱是宽频的,显示的是典型的白噪声。然而,由于车辆的存在,完全改变了噪声谱的结果。测量装置类似一个滤波器,允许同结构共振的特定波长的波通过。相应地,整个声压的幅值被削减,特别在某些特定的峰值上。期间,部分声能量从结构的下部传递到外面。因此,该声场由固体产生的声场和空气产生声场共同组成,这就比在一个自由场中一个 ENS 系统产生的声场复杂得多。

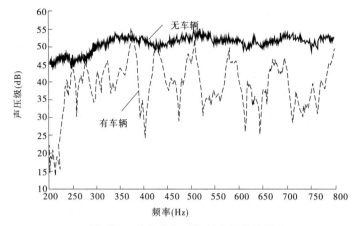

图 4-21　车辆前部对辐射声压谱的影响

4.5.2　求解和讨论

HELS方法的独特之处在于:它允许基于同重建的大小差不多的有限区域内的测量点来重构一片声压场。例如,测量的上部近似90 cm 深、120 cm 宽。在执行上表面的重建过程中,作为一个远离车辆表面 12 cm 的上表面,测量孔安放在相同的位置。临近的重构点和测量点之间的距离为 11 cm,并且有 120 个测量点。这些测量声压用来确定方程(2-4)中的展开系数,然后来重建离车辆 1 cm 的重构面。在不同测量点和分布上不同频率上重建的声压同测量的声压相比较。

对车辆的平板和侧面重复上面的过程,也就是测量面和重建面相距 11 cm。对于一个给定的结构,相邻测量点之间间隔 11 cm,每个测量面上的测量点总数分别是 66 个和 49 个。如果采用近场全息方法,则测量孔至少是平面源的 4 倍;如果采用基于 Helmholtz 方法的近场全息方法,则测量面应该包围整个声源。

研究表明,使用较少的测量点,将导致数值计算速度越快。例如,重建 200 Hz 到 800 Hz,可以在几分钟内完成。

图 4-22 显示了在车辆上表面的中部重建和测量点的声压谱对比。可以看出,从 200～800 Hz 的范围内,重建效果还是相当满意的。这里,200 Hz 以下的低频对应着消声室的遗弃频率。低频下的重建是相当准确的。因此,截取 200 Hz 以下的频率是没有必要的。800 Hz 的上限选择依据是对应于 B&K 双通道频谱分析仪,这样重建的声压可以在每一个单一频率变得有效。

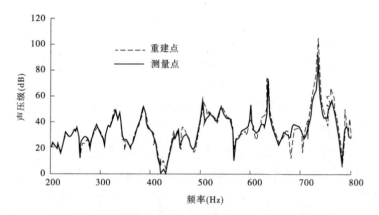

图 4-22　在车辆上表面的中部重建和测量点的声压谱对比

图 4-22 的重构表明一个准确的重建可以达到至少 800 Hz,或者 $ka=15$,而这些频率使用其他数值计算方法例如有限元方法和边界元方法可能出现计算上的问题。

图 4-23 和图 4-24 分别显示了上表面 204 Hz 和 457 Hz 时重构声压和测量声压的分布。结构显示在 204 Hz,结构是相对被动的,而且主要作为一个障碍。相应地,尽管重构声场得到了极大的消弱,但结果声场仍然类似于没有车辆时的声场。然而在 457 Hz 时,声场完全不同。在这个频率,声和振的相互作用十分强烈,而车辆作为一个源,在结果声场中,这个源的针对模态十分明显。

在前部接近中部的某一点上,测量值和重建值的比较情况见图 4-25。结果说明重建声压是相当准确的。图 4-26 和图 4-27 分

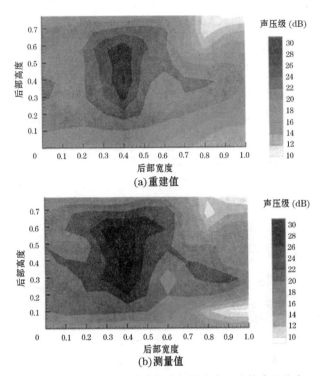

图 4-23　在 204 Hz 时,在车辆前部的上表面上的声压分布

别显示了328 Hz 和 576 Hz时重建声压和测量声压的比较。在这个例子中,结构振动的影响是相当明显的。一方面,在 328 Hz,最大声压发生在前部面板上的底部边沿上,这表明ENS产生的声波主要通过车辆的底部开口向外传递声波。很明显,在这个频率,车辆主要作为一个噪声屏障。另一方面,在 576 Hz,由于车辆表面的声压甚至高于声能畅通无阻的底部的声压,这表明该频率是作为车辆的一个自然频率来激振的。图 4-28 显示了类似的结果,它描述了 543 Hz 时的侧表面的重建和测量声压分布。又一次地证明,结构振动在这个频率似乎是外部声场的主要贡献者。中部声压的幅值同车辆结构侧板的底部是类似的。

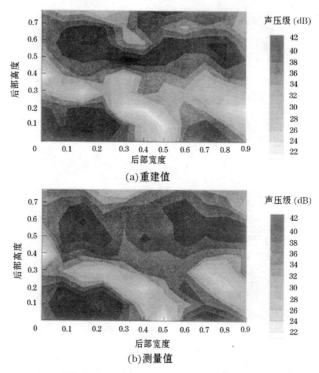

(a)重建值

(b)测量值

图4-24 在457 Hz时,在车辆前部的上表面上的声压分布

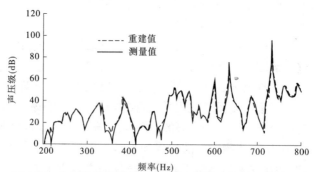

图4-25 车辆前部的前板上某点的重建和测量声压谱的比较

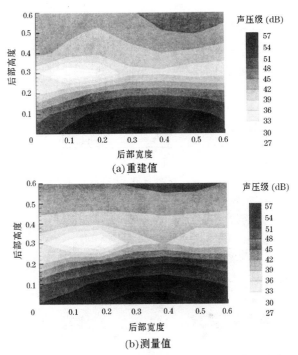

(a)重建值

(b)测量值

图 4-26　在 328 Hz 车辆前部的前面板上的声压分布

4.6　小　结

本章运用 HELS 方法,对故障诊断与噪声源分析、相位分析、声环境设计、声源控制等进行仿真计算,并求解了一个实际的工程应用问题。结论如下:

(1)使用 HELS 方法,完全可以根据声场中测量点声压的变化,求解出声源表面的振动变化情况,从而求出声源的故障发生点,为故障诊断提供依据。

(2)调整声源的相位进行噪声控制,有时代价较小而且简单可行。而使用 HELS 方法,可以根据测量点声压的变化,确定更为合

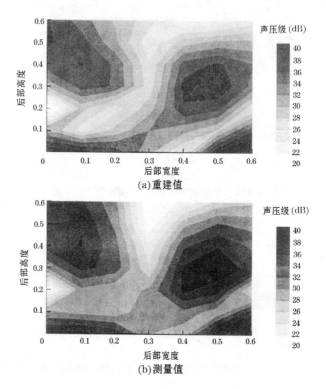

图 4-27　在 576 Hz 车辆前部的前面板上的声压分布

适的相位。通过相位调整,达到改变声场声压分布的目的。

(3)使用 HELS 方法,可以根据特定环境的声场要求,来求解声源表面情况,从而合理设计声源,达到声环境设计的目的。

(4)使用 HELS 方法,能够根据特定环境特定地点的声环境要求,增加若干个声源,通过声源之间的干涉叠加,从而达到特定地点特定的声环境要求。

(5)通过一个设计的车辆前部的实验表明,HELS 方法能够根据声场中若干测量点的声压,高效、准确地重构出声源附近重构面

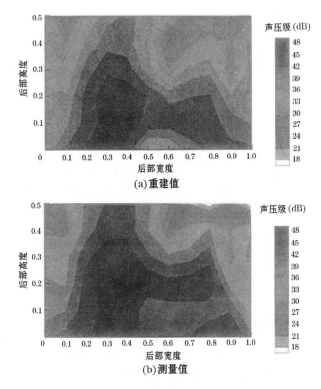

(a) 重建值

(b) 测量值

图 4-28　在 543 Hz 车辆前部的侧面板上的声压分布

上的声压。这使得 HELS 方法用于复杂结构的声场重构时十分灵活而且通用。

第5章　HELS方法局限性分析

通过对基本原理的进一步研究,本书认为,传统的HELS方法在合适的条件下,可能用来求解比较简单的边界条件下的球状声源的声场重建问题,例如,脉动球、摆动球、部分振动球等。然而,如果独立函数选择的不是十分合适,例如独立函数的项数过多,或者是测量点不合适,或者频率较高,即使对于简单的球状声源,重建的误差也十分惊人。对于边界条件稍微复杂的声源形状复杂的声场情况,使用HELS方法,该方法研究所受的局限性可能较大。本章将详细分析HELS方法的局限性,以图通过局限性的研究,使读者对HELS方法的适用范围有更为清晰的认识。

5.1　局限性的提出

由于传统HELS方法的独立函数为球谐函数,而且独立函数为球谐函数的HELS方法具有一定的代表性。因此,本节讨论HELS方法局限性时,将以独立函数为球谐函数为例进行讨论。

在计算外部辐射声场时,独立函数的球Hankel函数为第二类球Hankel函数,在计算内部声场时,独立函数的球Hankel函数选取为球Bessel函数。而本书数值计算将考虑外部辐射声场。因此,使用的独立函数中的球Hankel函数也是第二类球Hankel函数。

为叙述方便起见,这里规定公式(2-15)中的 m 从0开始依次递增,n 从0到 m。也就是说,$m=0$、$n=0$ 为第一项,$m=1$、$n=0$ 为第二项,$m=1$、$n=1$ 为第三项,则 $m=m$、$n=n$ 的项数表示为$\frac{m(m+1)}{2} + n + 1$。特别说明的是,传统的 HELS 方法并没有规定 m、n 该如何选取,也就是说,无论 m、n 如何选取,只要是非负整数(即无论选取哪一项)都符合独立函数的取法。

这里采用数值验算来分析 HELS 方法的局限性,包括有 3 个例子:①脉动球源;②一边界条件简单的球状声源;③一边界条件简单的长旋转椭球声源。其中②、③中的声场没有理论计算结果,这里选择边界元方法的计算结果近似为理论计算结果。

5.1.1　脉动球源

一半径为 0.1 m 的脉动球源,其表面声压为 1 Pa,频率为 500 Hz,图 5-1 显示的是离脉动球球心 1 m 处的理论值与 HELS 法重建值的比较。其中使用的独立函数为 10 项,取第 2 项到第 11 项,20 个测量点均匀分布在脉动球表面的一个圆上。从图 5-1 上可以看出,重建的声压值与理论值相差很多。

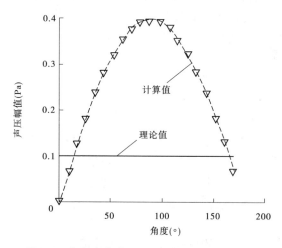

**图 5-1　离脉动球球心 1 m 处的一圆上声压随角度
变化的理论值与计算值的比较**

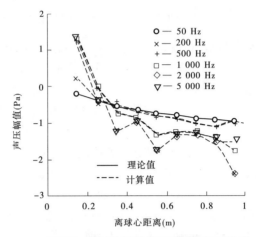

图 5-2　理论和重构的声压幅值的对数随
离球心距离变化的比较

同样是上面的脉动球源,如果从 0.1～1 m 每隔 0.1 m 取 11 个测量点。此时在独立函数中必须仅考虑第二类球 Hankel 函数,选取 m 为 0～5 共 6 项,然后来重建 0.15～0.95 m 每隔 0.1 m 共 9 个点的声压。计算结果如图 5-2 所示。图中同时显示了频率为 50、200、500、1 000、2 000、5 000 Hz 时重建的结果。从图 5-2 可以看出,重建的声压值和理论值仍有一定的误差,有些点的误差还比较大,特别是在频率较高时。

上面的脉动球例子并不是特例。作者选取了不同频率、不同半径的脉动球,只要选取的独立函数不包括第一项,或者是选择不同半径的测量点,使用 HELS 方法来重建脉动球的声场,都产生了类似图 5-1、图 5-2 的较大误差。

5.1.2　一边界条件简单的球状声源

某半径为 0.1m 的球源,在某两个不相邻的环形区域($0°\leqslant \varphi \leqslant 6°$ 和 $12°\leqslant \varphi \leqslant 18°$)的表面声压为 1 Pa,其他地方的表面声压为 0 Pa,频率为 500 Hz,首先使用边界元方法(划分单元为 900

个,节点为 872 个)计算出声场中的声压分布情况。选取 80 个已知的测量点均匀分布在半径为 0.1、1 m 的圆上,使用 HELS 方法来重建 0.5 m 的圆上的声压分布。图 5-3 表示的是重建值与理论值随圆的角度坐标的变化。为表示清楚起见,图上仅重建了 6 个点的声压。

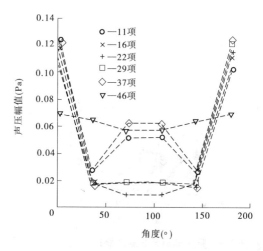

图 5-3　重建某部分振动球源表面的声压随角度的变化

从图 5-3 可以看出,使用的项数越多未必计算结果越精确,而且计算结果的误差可能会比较大,这一点与本书第 3 章的结论相符。而文献[31]~[40]认为,随使用的独立函数项数的增多,重建的误差将减小。

5.1.3　一边界条件简单的长旋转椭球声源

某长旋转椭球长轴和短轴分别为 1 m 和 0.5 m,频率为 54.133 Hz 时表面声压均匀分布为 1 Pa 时,在半径为 10 m 和 2 m 远的圆上分别均匀选取 20 个测量点(如果测量点只选用 10 m 远的圆上的点,重建其他点,甚至 9.9 m 远的圆上的点的误差都非常大),把它们的声压作为已知值来重建声场中的声压,独立函数选取为6项(在文献[32]的例子中非球声源的重建,独立函数只使用了2~5项),在椭球表面进行正交化,然后来重建9 m远处的声压。计算结果如图5-4所示。在图上,为表示清楚起见,仅重建了11个点的声压。

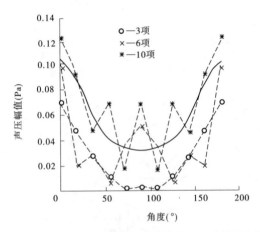

图5-4 重建某简单长旋转椭球声源外某圆上的声压随角度的变化

从图上可以看出,重建的误差比较大。并且当使用独立函数的项数增多时,重建的误差急剧增加(当 $m \geqslant 4$ 时,因为误差太大,图上没有表示出来)。

因此,从上述数值例子可以看出,使用独立函数为球谐函数的HELS法,来重建长旋转椭球声源形成的声场,并不是很成功。如果使用正交化方法来重建非球状声源的声场,不仅计算量急剧增加,而且计算并没有带来相应的好处。因此,很有必要分析研究并改进HELS法。

5.2　局限性分析

从上面可以看出,使用 HELS 方法,尽管带来了效率高、求解精确的好处,但也有其适用范围。下面来对 5.1 出现的问题进行分析。

5.2.1　局限一:随着使用独立函数阶数增多,独立函数的值相差将极为悬殊

使用最小二乘法,尽管在理论上减小了误差,实际计算时,因为随着阶数的增加,使用的独立函数的值急剧变化,计算过程中生成的矩阵 A 的条件数将是巨大的,甚至为无穷大,这样即使使用奇异值分解,矩阵 A 求逆的计算结果并不可信。对矩阵 A 的条件数影响巨大的包括下面两个方面。

5.2.1.1　半径方向

第二阶球 Hankel 函数随阶数 m 的变化十分明显。图 5-5、图 5-6显示的分别是使用 $kr=1$、$kr=0.1$ 时的第二阶球 Hankel 函数随阶数的变化。其中的 *、○、□ 分别表示第二类球 Hankel 函数、球 Neumann 函数、球 Bessel 函数的绝对值的对数随阶数的变化。

可以看出,独立函数的值相距甚大。其构成的矩阵的条件数也惊人地大。当 kr 由 0.1 变化到 1 时(每隔 0.1),项数由 1 变化到 10 组成的矢量,其转置和它乘积组成的矩阵的条件数分别为:无穷大、$1.555\ 1 \times 10^{42}$、无穷大、$7.730\ 3 \times 10^{37}$、无穷大、$8.204\ 1 \times 10^{35}$、无穷大、无穷大、无穷大、无穷大,而当项数由 1 变化到 10(每隔 1),kr 由 0.1 变化到 1 组成的矢量则转置和其乘积的条件数全部为无穷大。条件数为无穷大,这就意味着,即使使用极少的半径方向的项数,可能也无法求出伪逆。如果无法求出伪逆,这里就使用奇异值分解求出伪逆,但测量点极小的误差足以给结果造成极为惊人的误差。

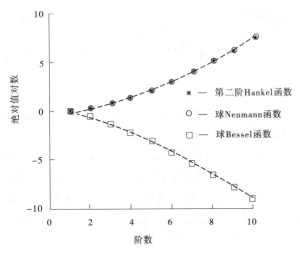

图 5-5　$kr=1$ 球函数随阶数的变化

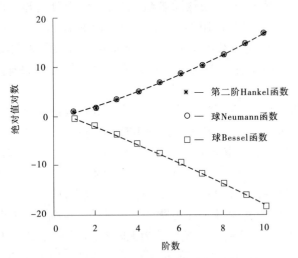

图 5-6　$kr=0.1$ 球函数随阶数的变化

某一项第二类球 Hankel 函数随半径的变化极为明显。

图 5-7、图 5-8 显示的是第二类球 Hankel 函数第一项的绝对值的对数和第十项的绝对值的对数随 kr 的变化。

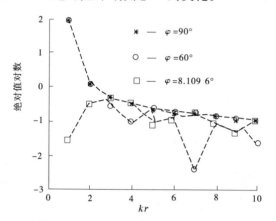

图 5-7　第二类球 Hankel 函数第一项随 kr 的变化

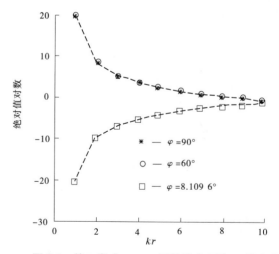

图 5-8　第二类球 Hankel 函数第十项随 kr 的变化

从公式(2-15)可以看出,频率增加,等同于半径的增加。因此,重建高频的声场,即使几个测量点半径的相差较小,它们构成的矢量的转置和矢量乘积生成的矩阵的条件数也可能很大。

在5.1.1的第二个例子脉动球中,给出了0.1~1 m每隔0.1 m共11个测量点的声压值,重建0.15~0.95 m每隔0.1 m共9个点的声压,在很多频率,特别是在频率较高时竟然没有成功。原因就是在半径方向的独立函数相差太大。

5.2.1.2　角方向的变化

这里的角方向的变化,仅考虑角 θ 方向的变化。因为在公式(2-15)中,角 φ 方向使用的是正弦(和/或余弦),而文献[31]、[32]中均没有涉及到角 φ(即视为定值),因此这里也不讨论角 φ。

图5-9、图5-10显示的分别是 $m=2$ 和 $m=10$ 时计算的Legendre多项式的绝对值的对数随 n 的变化。其中的 ＊、○、□分别表示 φ 为90°、60°、8.109 6°时的Legendre多项式的绝对值的对数随项数 n 的变化。

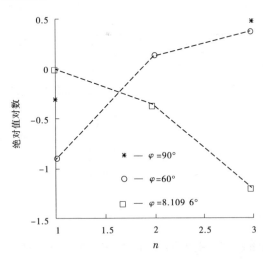

图5-9　$m=2$ 时计算的 Legendre 多项式的绝对值的对数随 n 的变化

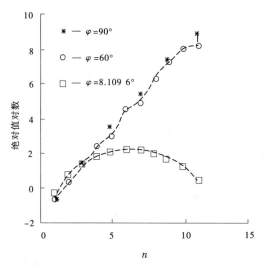

图 5-10　$m=10$ 时计算的 Legendre 多项式的绝对值的对数随 n 的变化

从图上可以看出,随着 m 的增大,描述角方向的 Legendre 多项式的绝对值也将变化极大。其造成的后果将和半径方向的独立函数相差太大的后果一样。

针对上述问题,本书提出的解决办法是:人为地减小在计算点展开项的独立函数相差值。具体为:对测量点选取的某函数作均一化处理(乘以或除以一数值),作为独立函数,这样,测量点的每项独立函数的模相差不大,从而最大限度地降低独立函数的差值,避免求解矩阵的病态发生。在第 3 章 3.1.2 中,表明上面提出的对策是成功的。

5.2.2　局限二:很难在有限的几项内穷尽公式(2-15)中的普通球状声源的独立函数

试图使用一些独立函数的线性叠加来表示出某一项独立函数的举动注定要失败的,因为各项独立函数是线性无关的。在 5.1.1 的第一个例子中,使用有 10 项独立函数来重建脉动球的声场,实质上就是来用这些项的独立函数来表示第一项独立函数,因为脉动球的声场传播只含有式(2-15)中第一项,而结果是失败的。

很显然,如果选取的独立函数包含了声场传播的所有情况,则所重建的声场可能会成功。例如,如果重建脉动球声场时,选取的独立函数包含第一项,则显然在式(2-15)中的除 $i=1$ 的项外任意项为0,因为第一项就已经包含了声场传播的所有情况。同样地,如果重建摆动球声场,选取的独立函数包含第二项,重建部分振动球时,包含前几项(10项左右),则重建结果都可能成功。

当 $N \to \infty$ 时,公式(2-15)收敛于真值,但对一个普通声源的声传播现象,很难穷尽描述其声传播的独立函数。因此,如果只使用很少的几项,而事先又不知道该选用哪几项独立函数,利用式(2-10)、式(2-11)来重建普通的球状声源的声场,很容易是失败的。在5.1.2的例子中,尽管声源的边界条件很简单,但是不知道哪些项独立函数代表着声传播的模式,从第一项开始依次选用,分别使用了11、16、22、29、37、46项独立函数,结果都是失败的。

相对的对策是:独立函数的选取尽可能从第一项开始,并尽可能包含所有的声辐射模态。

5.2.3　局限三:使用传统HELS方法重建面必须离测量面很近

从局限二可以得出,描述声场的阶数需要越少越好,即使使用很少的项数,其独立函数的相差也极为悬殊,造成结果的误差就可能很大。而根据局限一,描述声场的阶数需要越多越好,两者的矛盾很难得到解决。

5.2.3.1　重建球状声源

如果测量面确定,而重构点为整个声场中任意一点,则HELS方法仅能用于求解比较简单的边界条件下的球状声源的声场重建问题,例如,脉动球、摆动球、部分振动球等。并且,独立函数必须像本书规定的那样选取公式(2-15)中的前几项,而且,独立函数的项数必须很少,所有测量点随半径方向的变化必须很小,而且重建的点离测量点的距离必须很小,频率很低。否则,即使重建十分简单的边界条件下的球状声源的声场,计算结果的误差也十分惊人。

　　文献[31]认为,脉动球源只需要有一个测量点,就能重建整个声场,摆动球源只需要有两个测量点,也能重建整个声场。然而,在快速噪声诊断中,事先并不知道球源的表面振动情况,也就不知道球源是不是脉动球和摆动球。为重建任何球源产生的声场,必须有比较多的测量点和比较多的独立函数项数,而根据局限一和局限二,可以断定使用 HELS 方法来重建球状声源时,希望通过极少数简单的测量点,就重构出复杂边界条件的球状声源的声场中任意一点的声压是不现实的,对于表面形状复杂的复杂声源形成的声场,更是如此。

5.2.3.2　重建非球状声源

　　既然使用 HELS 方法在重建复杂的球状声源的声场时也可能产生困难。因此,有理由相信,使用球函数正交于声源来获得独立函数,如果使用很少的项数也同样难以描述普通的非球声源的声传播现象,而很多的项数则因为方程求解过程中生成的巨大的条件数(甚至为无穷大),计算结果是不可信的。

　　针对本局限的对策是:使用比较少的独立函数,重建的点离测量的点比较接近,无需根据测量点声压来重构声场中所有点的声压。仅需要根据测量点声压来确定离测量点较近的声源表面或声场中场点的声学信息。

5.3　小　结

　　(1)使用数值计算例子表明,当独立函数选择不合适或者选择有不同半径的测量点时,使用 HELS 方法重建脉动球的声场也产生有较大误差。并且,使用 HELS 方法很难根据一些点的声压,重建普通的球状声源的声场中其他任意点的声压。对于非球声源更是如此。

(2)本节分析认为主要原因是：当独立函数的使用项数增多时，计算过程中产生的误差很大，而又很难在有限的几项内穷尽普通球状声源的独立函数。

(3)考虑到传统 HELS 方法求解球状声源和非球状声源的情况，因此对于复杂声源，本书要求：人为地减小在计算点展开项的独立函数相差值，使用比较少的独立函数，重建的点离测量的点比较接近。无需根据测量点声压来重构声场中所有点的声压，仅需要根据测量点声压来确定离测量点较近的声源表面或声场中场点的声学信息。

第 6 章　HELS 方法的推广

　　HELS 方法只需要在声场中测量较少的点,就能高效率地重建出声场中某些点的声压。然而,在第 5 章中认为该方法有特定的适用范围,为在快速噪声诊断中得到进一步的应用,这种方法很有必要进一步推广。

　　借鉴 HELS 方法和无限元方法[2,3],本章在第 5 章的基础之上,提出一种新的声场重建方法。把声场划分为若干个无限区域(如果是有限区域的声场则划分为若干个有限区域),每个区域含有若干节点,在每个区域内寻找一个比较通用的、近似的、可以描述该区域声场的声压函数,该声压函数表示为区域节点的线性叠加。一旦区域节点的声压确定,整个区域的声压也就可以重建出来了。下面来叙述这一方法。

6.1　方法原理

　　该方法首先需要划分区域和节点,然后根据测量点的声压计算出节点的声压,根据节点确定的声压,就可以重建出整个区域的声压。

6.1.1　划分区域和节点

　　一个任意形状的声源,在声源表面附近画一个与声源形状比较接近的一个椭球(也可以小部分画在声源内,总之要和声源形状大致类似)。引入椭球坐标系(r,θ,φ),它和笛卡儿坐标系的对应关系为:

$$\begin{cases} x = r(1 - q\cos^2\theta)^{1/2}\cos\varphi \\ y = (r^2 - g^2)^{1/2}\sin\theta\sin\varphi \\ z = (r^2 - f^2)^{1/2}\cos\theta(1 - p\cos^2\varphi)^{1/2} \end{cases} \quad (6\text{-}1)$$

式中：$p = g^2/f^2$，$q = 1 - p$，$f^2 = a^2 - c^2$，$g^2 = a^2 - b^2$，a、b、c 分别为椭球的长轴、中轴和短轴半径。

设 $0 \leqslant \theta < 2\pi$、$0 \leqslant \varphi \leqslant \pi$，则 r 为定值，表示一椭球面。当 $a = c$ 时，表示球面，此时 $f = 0$，$g = 0$，为连续起见，令 $p = 1$，这样，方程(6-1)就转化为球坐标系。

根据声场中测量点的分布情况，沿椭球坐标系的半径方向把声场分为若干个区域。如果是外部声场，就沿椭球坐标系的半径方向划分为若干个无限区域(如果是内部声场，就划分为有限区域)，每个无限区域沿半径方向向外无限延伸。

每个区域有若干个节点。例如某个特定的无限区域可以如图 6-1、图 6-2 所示。图中的区域共有 4 层 36 个节点。在计算时，层数和每层的节点数都可以根据测量点的数目有所变化。

在每个区域内有方程：

$$P(x) = \sum_{i=1}^{N} C_i(x)\psi_i \quad (6\text{-}2)$$

式中：N 表示该区域内节点的数目；$C_i(x)$ 表示第 i 个节点的声压；ψ_i 称为插值函数。

该式的目的是把区域声场中的任一点声压表示为区域节点的声压的线性叠加[2]。

这里沿椭球坐标系的坐标轴来划分区域，因而有：

$$\psi_l = \psi_\mu^{(r)}\psi_v^{(\varphi)}\psi_w^{(\theta)} \quad (6\text{-}3)$$

其中 $\psi_v^{(\varphi)}$、$\varphi_w^{(\theta)}$ 分别为沿 φ、θ 方向的传统的有限元插值函数，这里选择为 Lagrange 插值多项式，如果是有限区域的声场，$\psi_\mu^{(r)}$ 也可以选择为 Lagrange 插值多项式。对于无限区域的声场，必须考

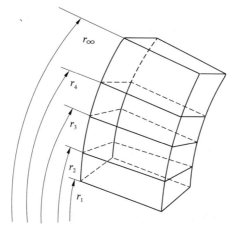

图 6-1   在半径方向有 4 个节点的无限区域示意图

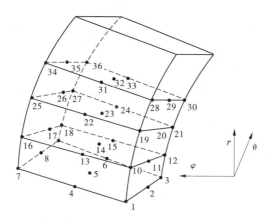

**图 6-2   在半径方向有 4 个节点,两个角方向各有 3 个
节点的无限区域所含节点示意图**

虑无穷远辐射边界条件,这里选择为:

$$\psi_\mu^r(r_{\mu'}) = \mathrm{e}^{-\mathrm{i}k(r-r_\mu)} \sum_{\mu'=1}^n \frac{h_{\mu\mu'}}{(kr)^\mu} \quad \mu = 1,2,\cdots,n \qquad (n \geqslant 2)$$

$$(6\text{-}4)$$

式中：$h = S^{-1}$；$s_{lm} = (kr_m)^{-l}$，r_m 表示第 m 个节点的 r 坐标；k 表示波数。

测量点分布在每个区域内，然后来计算区域节点的声压，之后再用节点的声压表示出整个区域的声压。

6.1.2 计算出节点声压的近似值

如果该区域声场中已知有 m 个点的声压：

$$P(x_i) = P_{Oi} \quad (i = 1,2,\cdots,m) \qquad (6\text{-}5)$$

假定该区域共有 n 个节点，则该区域有方程：

$$\begin{bmatrix} \psi_{11}^* & \psi_{12}^* & \cdots & \psi_{1n}^* \\ \psi_{21}^* & \psi_{22}^* & \cdots & \psi_{2n}^* \\ \vdots & \vdots & & \vdots \\ \psi_{m1}^* & \psi_{m2}^* & \cdots & \psi_{mn}^* \end{bmatrix} \begin{Bmatrix} C_1 \\ C_2 \\ \vdots \\ C_n \end{Bmatrix} = \begin{Bmatrix} P_{O1} \\ P_{O2} \\ \vdots \\ P_{Om} \end{Bmatrix} \qquad (6\text{-}6)$$

假定声场中测量点共有 s 个，节点共有 t 个，则把所有区域的方程联立在一起，即

$$\sum_{n=1}^t (C_n \psi_{in}^* - P_{Oi}) = 0 \quad (i = 1,2,\cdots,s) \qquad (6\text{-}7)$$

下面通过最小二乘法来求解上式。

令

$$I = \sum_{m=1}^s \Big(\sum_{n=1}^t C_n \psi_{mn}^* - P_{Om} \Big)^2 \qquad (6\text{-}8)$$

通过最小二乘法以使产生的误差为最小。令式(6-8)对未知值 C_n 求导并为 0，即：

$$\frac{\partial I}{\partial C_n} = 0 \qquad (6\text{-}9)$$

式(6-8)、式(6-9)联立，利用奇异值分解可以求得：

$$\{C\} = [\zeta]^u \{\xi\} \tag{6-10}$$

其中,矩阵$[\zeta]$和向量$\{\xi\}$中元素分别为 $\zeta_{mn} = \psi_{jm}^* \psi_{nj}^*$、$\xi_i = P_{Oi}$ ψ_{ji}^*,$[\zeta]^u$是通过奇异值分解而求得的伪逆。

6.1.3　重建出声场中任意一点的声压

把区域内任一点用式(6-3)、式(6-4)表示出来,通过式(6-2)可以确定声场中任何一点的声压。

因为使用节点的声压来描述声场中的信息,相当于使用合理的插值函数来近似区域的声场,没有试图求解一个能够描述整个声场的简单函数,因此能比 HELS 方法更准确、更高效地描述声场,可以近似求解各种形状的声源、各个频段声场重建问题。又因为是快速噪声诊断,并不要求精确地描述每一个点的声压,因此区域可以很少。并且从上面推导过程可以看出,本书避免了使用椭球声无限单元的烦琐的方程积分,因而大大减少了计算用时。本方法既保留了传统的 HELS 方法的高效率,又大大地拓宽了该方法的计算适用领域。

6.2　计算实例

脉动球只需要 1 个测量点,摆动球只需要 2 个测量点,它们的重建结果就和理论结果完全吻合,而不论测量点的位置(这一点优于传统的 HELS 方法[31])。如果测量点的数量增多或者频率增加,并不影响计算的精度。因此,这里不再给出这两类声源的重建结果。

这一节的例子包括:①一简单边界条件下球源的声场重建;②一频率比较高的长旋转椭球声源的重建;③一形状比较随意的声源的声场重建。因为这些例子没有理论计算结果,这里把边界元的计算结果近似为理论计算结果,以做参照。

6.2.1　一简单边界条件下球状声源

球源的半径为 0.1 m,80 个选择的测量点均匀地分布在半径为 0.1 m 和 1 m 的圆上。只使用一个二维区域,每个区域内沿半径方向、角方向的节点分别为 2 个,节点总共 4 个。图 6-3 显示的是重建 0.5 m 圆上的计算值和理论值。使用的新方法重建时间不超过 0.1 s,而使用传统 HELS 方法时间超过了 3.5 s。从图上可以看出,使用的新方法的计算误差也远远低于使用传统 HELS 方法的计算误差。

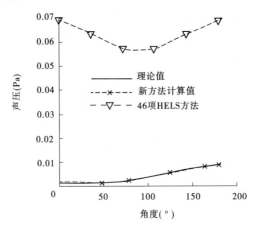

图 6-3　一简单球源声压随角度的变化

6.2.2　一长旋转椭球

某长旋转椭球长轴和短轴分别为 1 m 和 0.5 m,频率为 600 Hz 时表面声压均匀分布为 1 Pa 时,在半径为 10 m 和 2 m(坐标为椭球坐标系)的椭球面上分别均匀选取 20 个测量点,把它们的声压作为已知值来重建声场中 5 m 处的声压,这里选取 40 个节点的 20 个区域,所用时间 0.04 s。而使用的 HELS 方法,6 项独立函数,求解同一算例,超过 0.15 s(不包括其独立函数正交化的时间)。重构结果和理论计算结果如图 6-4 所示。从图上可以看出,使用本书的计算方法其误差在比较高的频率($ka = 11.088$)仍然比较小。而使用 HELS 方法,不仅计算用时超过本书的计算方法,

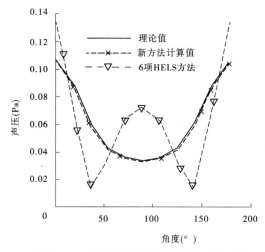

图 6-4 一长旋转椭球声源声压角度的变化

而且其误差也比较大(本算例中,如果使用 HELS 方法选用独立函数的项数增多,误差将急剧增加)。

6.2.3 一形状比较随意的旋转体

上面的几个例子的声源形状就是椭球,下面选择一个形状比较任意的旋转体。该旋转体是使用一光滑曲线绕 x 轴旋转而成。

其形状示意图如图 6-5 所示,其中大致尺寸为沿 x 轴的最大尺寸为(−1,1),沿 y 轴的最大尺寸为(−0.5,0.5),其中最中间的 y 轴尺寸为(−0.353 5, 0.353 5),该旋转体沿 x 轴中心对称。在该物体的表面任一点的声压均匀分布为 1 Pa,频率为 54.133 Hz。这里选择坐标系为公式(6-1),把长旋转坐标的长、中、短轴分别选择为 1、0.5、0.5 m,该长旋转椭球与该物体的形状有些接近。从声场中选择一些点,来重建其他点的声压。该问题已经不可能使用 HELS 方法(不考虑和其他方法的联立)来重建。图 6-6 是在 r 为 10 m、2 m 的椭圆上分别选择 7 个点,把声场划分为 6 个区域,每个区域 4 个节点,沿半径方向和角方向各为 2 个,来重建 r 为 5

m处的声压。从图6-6上可以看出,重建的误差很小,而且重建所花费的时间也极短。

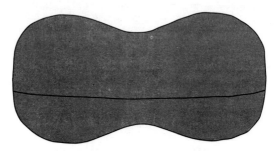

图6-5　一旋转体形状示意图

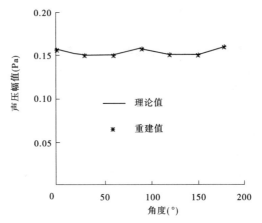

图6-6　一旋转体声源声压随角度的变化

6.3　小　结

本章在传统HELS方法和无限元方法的基础上,提出了一种新的声场重构方法。这种新的方法比传统的HELS方法的适用范围更广、效率更高。其基本原理是:把声场划分为若干个区域,把每个区域的声场表示成区域节点的线性叠加。根据测量点的声压,通过奇异值分解,可以得到区域节点的近似声压。然后通过区域节点的声压,可以得到每个区域每一点的声压。因为本方法没有试图求解一个必须满足整个声场的声压表示函数,因而其适用范围可以扩展到普通的椭球表面、类椭球表面,甚至任意形状的声源。该方法用于重建比较高的频率的声场,其误差也很小。

第7章 总结与展望

HELS方法是根据声场中较少的测量点,就可以高效、精确地重建声场的一种快速噪声诊断方法。本书详细介绍了这种方法的理论推导,并通过多种方法推广了这种方法。通过具体实例,分析了这种方法及推广方法的精度及精度的影响因素,在此基础上,提出了各种方法的适用范围。本书使用这些方法模拟了一些工程实际中可能遇到的一些问题。在本书的最后部分,详细分析了HELS方法的一些局限性,并据此提出了一些相应的对策。在HELS方法的基础上,提出了更为适合工程实用的快速噪声诊断技术。

7.1 总 结

目前,声辐射逆问题的研究尚处于探索阶段,其研究手段多局限于声辐射问题的研究方法。HELS法则独辟蹊径,试图突破声辐射研究问题的限制,从一个新的角度研究声辐射逆问题。本书详细介绍、拓展、分析并应用了这种方法。通过本书的研究,可得出如下结论:

(1)使用球谐函数作为独立函数的HELS方法的适用范围是:表面振动情况不是十分复杂的长、宽、高比近似为1:1:1的声源的声辐射逆问题。测量点数目越多,计算结果一般越准确;当用较多数目的独立函数求解时,数目越多,计算结果误差有可能越大。本书提出的解决办法是:人为地减小在测量点的展开项的独立函数相差值;测量点离脉动球球心的距离对计算结果的精度影响不是很直接。

(2)使用柱波函数作为独立函数的HELS方法的适用范围是:

较为简单的柱状或接近柱状声源的声辐射逆问题。使用柱波函数作为独立函数求解柱状声源的声辐射逆问题,则测量点数目对计算结果的影响没有呈现出一定的规律性,但计算结果的误差一般都较小;当用较多数目的独立函数求解时,数目越多,计算结果误差有可能越大。本书提出的解决办法是:人为地减小在计算点展开项的独立函数相差值;测量点离脉动柱中心轴的距离对计算结果的精度影响不是很大。

(3)使用点源作为独立函数的 HELS 方法的适用范围是:振动情况比较简单的三维声源的声辐射逆问题。使用点源作为独立函数求解球状声源的声辐射逆问题,则在很多的无量纲频率,点源越靠近球心,计算结果越准确。当点源所在球半径为脉动球半径的 1/2 时,精度仍然较高;使用点源数目越多、分布越均匀,计算结果越准确;测量点数目比所使用的点源数目多,可以求得最小二乘解。且计算结果的精度与测量点的数目和分布均匀性没有明显的规律可循,不过计算结果的误差都很小;即使点源在一立方体表面或其他形状的表面上也有可能求解这一问题。

(4)使用偶极子源作为独立函数的 HELS 方法的适用范围是:振动情况比较简单的三维声源、在高频声波附近的声辐射逆问题。使用偶极子源求解球状声源的声辐射逆问题,精度一般不如点源,源点越靠近球心,计算结果越准确,在源点所在球半径为脉动球半径的 1/5 时,计算结果仍然相当准确;源点数目越多,计算结果精度越高,当源点数目超过一定值时,计算结果的精度变化不是很大;源点的分布均匀性对结果的精度影响不是很大;测量点的数目大于偶极子源的数目时,可以求得最小二乘解。此时,测量点的数目和分布均匀性对计算结果影响的规律性不是很明显,但计算结果的误差一般较小;所有偶极子源均在一立方体表面上或其他形状的表面上也有可能求解这一问题。

(5)使用点源作为独立函数的 HELS 方法求解二维柱状声源

的声辐射逆问题的适用范围是:振动情况比较简单的二维声源的声辐射逆问题。使用点源作为独立函数的HELS方法求解二维柱状声源的声辐射逆问题,则增加源点数目,可以大幅度地减小计算误差;所取源点数目越不均匀,结果误差越大;当点源在声源半径的0~0.2倍的圆面上时,计算的结果误差较小;增加测量点的数目,可以大幅度地减小计算误差;所取测量点越不均匀,结果误差越大;使用点源在其他形状的轮廓上(例如一正方形上)同样可以用来求解无限长脉动圆柱的声辐射逆问题。

(6)使用偶极子源作为独立函数的HELS方法求解二维柱状声源的声辐射逆问题的适用范围是:振动情况比较简单的二维声源而且在高频的声辐射逆问题。

使用偶极子源作为独立函数的HELS方法求解无限长脉动圆柱的声辐射逆问题,则增加偶极子源数目,可以减小计算误差;但当偶极子数目增加到一定数目时,再增加偶极子数目,对计算误差的影响较小。所取源点越不均匀,结果误差越大。偶极子源越靠近声源中心,计算结果的误差越小。当偶极子源在半径等于声源半径的0.2倍的圆面上时,计算的结果误差较小;增加测量点数目,可以减小计算误差。但当测量点数目增加到一定数目时,再增加测量点数目,对计算误差的影响较小。所取测量点越不均匀,结果误差就越大;使用偶极子源在其他形状的轮廓上(如正方形上),也可用来求解这一问题。

(7)使用长旋转椭球函数作为独立函数的HELS方法的适用范围为:宽、高近似相等,长为任意值的声源的声辐射逆问题。长旋转椭球函数作为独立函数HELS方法的适用范围不但包含了球谐函数作为独立函数HELS方法的适用范围,而且大大拓展了球谐函数作为独立函数HELS方法的适用范围。

(8)通过故障诊断和噪声源分析、相位分析、声环境设计及声源控制的仿真与讨论,初步揭示了声源与其所辐射声场的相互关系。本书的计算为噪声控制、故障诊断、声环境设计及工程实际提供了有益参考。例如使用 HELS 方法,完全能够根据声场中测量点声压的变化,求解出声源表面的振动变化情况,从而求出声源的故障发生点,为故障诊断提供依据;可以根据测量点声压的变化,确定更为合适的相位。通过相位调整,达到改变声场声压分布的目的。使用 HELS 方法,可以根据特定环境的声场要求,来求解声源表面情况,从而合理设计声源,达到声环境设计的目的。还能够根据特定环境特定地点的声环境要求,增加若干个声源,通过声源之间的干涉叠加,从而达到特定地点特定的声环境要求。通过一个设计的车辆前部的实验表明,HELS 方法能够根据声场中若干测量点的声压,高效、准确地重构出声源附近重构面上的声压。这使得 HELS 方法用于重构工程应用中复杂结构的声场十分灵活而且通用。

(9)使用 HELS 方法的局限性为:当独立函数的使用项数增多时,计算过程中产生的误差很大,而又很难在有限的几项内穷尽普通球状声源的独立函数。本书提出的对策是:人为地减小在计算点展开项的独立函数相差值,使用比较少的独立函数,重建的点离测量的点比较接近。无需根据测量点声压来重构声场中所有点的声压,仅需要根据测量点声压来确定离测量点较近的声源表面或声场中场点的声学信息。

(10)在传统 HELS 方法和无限元方法的基础上,本书提出了一种新的声场重构方法。这种新的方法比传统的 HELS 方法的适用范围更广、效率更高。其基本原理是:把声场划分为若干个区域,把每个区域的声场表示成区域节点的线性叠加。根据测量点的声压,通过奇异值分解,可以得到区域节点的近似声压。然后通过区域节点的声压,可以得到每个区域每一点的声压。因为本方法没有试图求解一个必须满足整个声场的声压表示函数,因而其适用范围可以扩展到普通的椭球表面、类椭球表面,甚至任意形状的声源。该方法用于重建比较高的频率的声场,其误差也很小。

(11)对于某些特定的声辐射逆问题,使用本书拓展(或介绍)的某些特定方法,可同时达到较高的精度和较高的效率。如本书介绍的许多例子的计算误差小于1‰,而且运行时间极短。这样就有可能把这种方法用于某些特定场合的快速噪声诊断。

(12)本书使用的HELS方法原理简单,理解起来容易,应用方便,便于推广,由此带来的好处之一就是容易被一般工程人员接受。它带来的另一个好处是编程容易。本书作者的编程经验是:对于本书最复杂例子的编程,主程序的编程本身所用时间仅需几个小时,甚至不及前后处理程序所花费的时间。

(13)本书的多种方法可以相互印证,这在没有其他方法可资参考的情况下,具有很明显的优势。如在第4章4.1节,作者同时使用点源和球谐函数求解同一个例子,结果得出的结论相同。但限于篇幅,本书并没有再列出其他使用多种方法求解同一个例子的情况。

7.2 展　望

本书只是声辐射逆问题的初步探讨。下一步的工作,就作者的考虑,至少有以下几点还需要研究:

(1)对各种方法的独立函数进行更为合理的处理,使其适用范围更广。进一步的工作是寻找通用性更强的独立函数。

(2)使用偶极子源作为独立函数,可用来求解声辐射逆问题的频率偏高,这样应用于工程实际有一定的困难,其原因待分析。

(3)本书尽管做了不少有关快速噪声诊断的工程应用仿真计算,但总体数量仍然偏少,需要做更多的工作以把HELS方法及相关的推广方法推向工程实际应用。

(4)对于HELS方法的局限性,本书虽做了初步探讨,但对其基本原理的理论分析、矩阵方程的病态问题,本书并未深入。

附录一　球函数和柱函数的一些基本公式

$$P_l^m(x) = \frac{(1 - x^2)^{m/2}}{l!2^l} \frac{d^{l+m}}{dx^{l+m}}(x^2 - 1)^l = (1 - x^2)^{m/2} \frac{d^m}{dx^m}[P_l(x)]$$

$$P_l(x) = \frac{1}{l!2^l} \frac{d^l}{dx^l}(x^2 - 1)^l = \frac{1 \cdot 3 \cdot 5 \cdots (2l - 1)}{l!} \times$$
$$\left[x^l + \frac{l(l - 1)}{2(2l - 1)} x^{l-2} + \frac{l(l - 1)(l - 2)(l - 3)}{2 \times 4 \times (2l - 1)(2l - 1)} x^{l-4} + \cdots \right]$$

$$P_0(x) = 1$$

$$P_1(x) = x$$

$$P_2(x) = \frac{1}{2}(3x^2 - 1)$$

$$P_3(x) = \frac{1}{2}(5x^3 - 3x)$$

$$(2l + 1)xP_l(x) = (l + 1)P_{l+1}(x) + lP_{l-1}(x)$$

$$P_0(x) = \frac{d}{dx}P_1(x)$$

$$(2l + 1)P_l(x) = \frac{d}{dx}[P_{l+1}(x) - P_{l-1}(x)]$$

$$\int_{-1}^{1} P_l(x)P_{l'}(x)dx = \begin{cases} 0 & (l \neq l') \\ \dfrac{2}{2l + 1} & (l = l') \end{cases}$$

$$j_1(x) = \sqrt{\frac{\pi}{2x}}J_{l+\frac{1}{2}}(x)$$

$$n_1(x) = \sqrt{\frac{\pi}{2x}}N_{l+\frac{1}{2}}(x)$$

$$h_l^{(1)} = j_1(x) + jn_l(x)$$

$$h_l^{(2)} = j_1(x) - jn_l(x)$$

$$j_0(x) = \frac{\sin x}{x}$$

$$n_0(x) = -\frac{\cos x}{x}$$

$$j_1(x) = \frac{\sin x}{x^2} - \frac{\cos x}{x}$$

$$n_1(x) = -\frac{\sin x}{x} - \frac{\cos x}{x}$$

$$j_2(x) = \left(\frac{3}{x^3} - \frac{1}{x}\right)\sin x - \frac{3}{x^2}\cos x$$

$$n_2(x) = -\frac{3}{x^2}\sin x - \left(\frac{3}{x^3} - \frac{1}{x}\right)\cos x$$

$$j_1(x) \underset{x\to 0}{\approx} \frac{x^l}{l(2l+1)}$$

$$n_1(x) \underset{x\to 0}{\approx} \frac{l}{x^{l+1}}$$

$$j_1(x) \underset{x\to\infty}{\approx} \frac{1}{x}\cos\left(x - \frac{l+1}{2}\pi\right)$$

$$n_1(x) \underset{x\to\infty}{\approx} \frac{1}{x}\sin\left(x - \frac{l+1}{2}\pi\right)$$

$$h_l^{(2)}(x) \underset{x\to 0}{\approx} j\frac{1}{x^{l+1}}$$

$$h_l^{(2)}(x) \underset{x\to\infty}{\approx} \frac{1}{x}e^{-j\left(x-\frac{l+1}{2}\pi\right)}$$

$$j_{l-1}(x) + j_{l+1}(x) = \frac{2l+1}{x}j_1(x)$$

$$n_{l-1}(x) + n_{l+1}(x) = \frac{2l+1}{x}j_1(x)$$

$$\frac{\mathrm{d}}{\mathrm{d}x}j_l(x) = \frac{1}{2l+1}[lj_{l-1}(x) - (l+1)j_{l+1}(x)]$$

$$\frac{\mathrm{d}}{\mathrm{d}x}n_l(x) = \frac{1}{2l+1}[ln_{l-1}(x) - (l+1)n_{l+1}(x)]$$

$$\frac{\mathrm{d}}{\mathrm{d}x}[x^{l+1}j_l(x)] = x^{l+1}j_{l-1}(x)$$

$$\frac{\mathrm{d}}{\mathrm{d}x}[x^{l+1}n_l(x)] = x^{l+1}n_{l-1}(x)$$

$$\frac{\mathrm{d}}{\mathrm{d}x}[x^{-l}j_l(x)] = -x^{-l}j_{l+1}(x)$$

$$\frac{\mathrm{d}}{\mathrm{d}x}[x^{-l}n_l(x)] = -x^{-l}n_{l+1}(x)$$

$$\int j_1(x)\mathrm{d}x = -j_0(x)$$

$$\int n_1(x)\mathrm{d}x = -n_0(x)$$

$$\int x^2 j_0(x)\mathrm{d}x = x^2 j_1(x)$$

$$\int x^2 n_0(x)\mathrm{d}x = x^2 n_1(x)$$

$$\int x^2 j_0{}^2(x)\mathrm{d}x = \frac{x^3}{2}[j_0{}^2(x) - n_0(x)j_1(x)]$$

$$\int x^2 n_0{}^2(x)\mathrm{d}x = \frac{x^3}{2}[n_0{}^2(x) - j_0(x)n_1(x)]$$

$$\int x^2 j_l{}^2(x)\mathrm{d}x = \frac{x^3}{2}[j_l{}^2(x) - j_{l-1}(x)j_{l+1}(x)] \quad (l \geqslant 1)$$

$$\int x^2 n_l{}^2(x)\mathrm{d}x = \frac{x^3}{2}[n_l{}^2(x) - n_{l-1}(x)n_{l+1}(x)] \quad (l \geqslant 1)$$

$$n_{l-1}(x)j_l(x) - n_l(x)j_{l-1}(x) = \frac{1}{x^2}$$

附录二　柱函数的图和表

1.柱函数的一些图

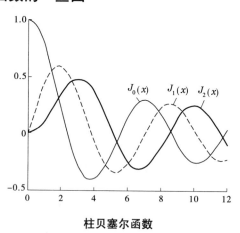

柱贝塞尔函数

零阶柱诺埃曼函数

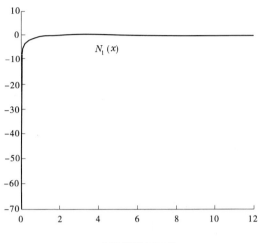

一阶柱诺埃曼函数

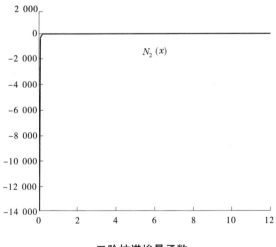

二阶柱诺埃曼函数

2. 柱贝塞尔函数的根值

$J_0(x_n) = 0$		$J_1(x_n) = 0$		$J_2(x_n) = 0$	
n	x_n	n	x_n	n	x_n
1	2.405	1	3.832	1	5.136
2	5.520	2	7.016	2	8.417
3	8.654	3	10.17	3	11.62
4	11.79	4	13.32	4	14.80
5	14.93	5	16.47	5	17.96

3. 柱贝塞尔函数表

x	$J_0(x)$	$J_1(x)$	$J_2(x)$	$J_3(x)$	$J_4(x)$	$J_5(x)$
0	1.000 0	0	0	0	0	0
0.100 0	0.997 5	0.049 9	0.001 2	0.000 0	0.000 0	0.000 0
0.200 0	0.990 0	0.099 5	0.005 0	0.000 2	0.000 0	0.000 0
0.300 0	0.977 6	0.148 3	0.011 2	0.000 6	0.000 0	0.000 0
0.400 0	0.960 4	0.196 0	0.019 7	0.001 3	0.000 1	0.000 0
0.500 0	0.938 5	0.242 3	0.030 6	0.002 6	0.000 2	0.000 0
0.600 0	0.912 0	0.286 7	0.043 7	0.004 4	0.000 3	0.000 0
0.700 0	0.881 2	0.329 0	0.058 8	0.006 9	0.000 6	0.000 0
0.800 0	0.846 3	0.368 8	0.075 8	0.010 2	0.001 0	0.000 1
0.900 0	0.807 5	0.405 9	0.094 6	0.014 4	0.001 6	0.000 1
1.000 0	0.765 2	0.440 1	0.114 9	0.019 6	0.002 5	0.000 2

续表

x	$J_0(x)$	$J_1(x)$	$J_2(x)$	$J_3(x)$	$J_4(x)$	$J_5(x)$
1.100 0	0.719 6	0.470 9	0.136 6	0.025 7	0.003 6	0.000 4
1.200 0	0.671 1	0.498 3	0.159 3	0.032 9	0.005 0	0.000 6
1.300 0	0.620 1	0.522 0	0.183 0	0.041 1	0.006 8	0.000 9
1.400 0	0.566 9	0.541 9	0.207 4	0.050 5	0.009 1	0.001 3
1.500 0	0.511 8	0.557 9	0.232 1	0.061 0	0.011 8	0.001 8
1.600 0	0.455 4	0.569 9	0.257 0	0.072 5	0.015 0	0.002 5
1.700 0	0.398 0	0.577 8	0.281 7	0.085 1	0.018 8	0.003 3
1.800 0	0.340 0	0.581 5	0.306 1	0.098 8	0.023 2	0.004 3
1.900 0	0.281 8	0.581 2	0.329 9	0.113 4	0.028 3	0.005 5
2.000 0	0.223 9	0.576 7	0.352 8	0.128 9	0.034 0	0.007 0
2.100 0	0.166 6	0.568 3	0.374 6	0.145 3	0.040 5	0.008 8
2.200 0	0.110 4	0.556 0	0.395 1	0.162 3	0.047 6	0.010 9
2.300 0	0.055 5	0.539 9	0.413 9	0.180 0	0.055 6	0.013 4
2.400 0	0.002 5	0.520 2	0.431 0	0.198 1	0.064 3	0.016 2
2.500 0	− 0.048 4	0.497 1	0.446 1	0.216 6	0.073 8	0.019 5
2.600 0	− 0.096 8	0.470 8	0.459 0	0.235 3	0.084 0	0.023 2
2.700 0	− 0.142 4	0.441 6	0.469 6	0.254 0	0.095 0	0.027 4
2.800 0	− 0.185 0	0.409 7	0.477 7	0.272 7	0.106 7	0.032 1
2.900 0	− 0.224 3	0.375 4	0.483 2	0.291 1	0.119 0	0.037 3

续表

x	$J_0(x)$	$J_1(x)$	$J_2(x)$	$J_3(x)$	$J_4(x)$	$J_5(x)$
3.000 0	−0.260 1	0.339 1	0.486 1	0.309 1	0.132 0	0.043 0
3.100 0	−0.292 1	0.300 9	0.486 2	0.326 4	0.145 6	0.049 3
3.200 0	−0.320 2	0.261 3	0.483 5	0.343 1	0.159 7	0.056 2
3.300 0	−0.344 3	0.220 7	0.478 0	0.358 8	0.174 3	0.063 7
3.400 0	−0.364 3	0.179 2	0.469 7	0.373 4	0.189 2	0.071 8
3.500 0	−0.380 1	0.137 4	0.458 6	0.386 8	0.204 4	0.080 4
3.600 0	−0.391 8	0.095 5	0.444 8	0.398 8	0.219 8	0.089 7
3.700 0	−0.399 2	0.053 8	0.428 3	0.409 2	0.235 3	0.099 5
3.800 0	−0.402 6	0.012 8	0.409 3	0.418 0	0.250 7	0.109 8
3.900 0	−0.401 8	−0.027 2	0.387 9	0.425 0	0.266 1	0.120 7
4.000 0	−0.397 1	−0.066 0	0.364 1	0.430 2	0.281 1	0.132 1
4.100 0	−0.388 7	−0.103 3	0.338 3	0.433 3	0.295 8	0.143 9
4.200 0	−0.376 6	−0.138 6	0.310 5	0.434 4	0.310 0	0.156 1
4.300 0	−0.361 0	−0.171 9	0.281 1	0.433 3	0.323 6	0.168 7
4.400 0	−0.342 3	−0.202 8	0.250 1	0.430 1	0.336 5	0.181 6
4.500 0	−0.320 5	−0.231 1	0.217 8	0.424 7	0.348 4	0.194 7
4.600 0	−0.296 1	−0.256 6	0.184 6	0.417 1	0.359 4	0.208 0
4.700 0	−0.269 3	−0.279 1	0.150 6	0.407 2	0.369 3	0.221 4
4.800 0	−0.240 4	−0.298 5	0.116 1	0.395 2	0.378 0	0.234 7

续表

x	$J_0(x)$	$J_1(x)$	$J_2(x)$	$J_3(x)$	$J_4(x)$	$J_5(x)$
4.900 0	$-0.209\ 7$	$-0.314\ 7$	0.081 3	0.381 1	0.385 3	0.248 0
5.000 0	$-0.177\ 6$	$-0.327\ 6$	0.046 6	0.364 8	0.391 2	0.261 1
5.100 0	$-0.144\ 3$	$-0.337\ 1$	0.012 1	0.346 6	0.395 6	0.274 0
5.200 0	$-0.110\ 3$	$-0.343\ 2$	$-0.021\ 7$	0.326 5	0.398 5	0.286 5
5.300 0	$-0.075\ 8$	$-0.346\ 0$	$-0.054\ 7$	0.304 6	0.399 6	0.298 6
5.400 0	$-0.041\ 2$	$-0.345\ 3$	$-0.086\ 7$	0.281 1	0.399 1	0.310 1
5.500 0	$-0.006\ 8$	$-0.341\ 4$	$-0.117\ 3$	0.256 1	0.396 7	0.320 9
5.600 0	0.027 0	$-0.334\ 3$	$-0.146\ 4$	0.229 8	0.392 6	0.331 0
5.700 0	0.059 9	$-0.324\ 1$	$-0.173\ 7$	0.202 3	0.386 6	0.340 3
5.800 0	0.091 7	$-0.311\ 0$	$-0.199\ 0$	0.173 8	0.378 8	0.348 6
5.900 0	0.122 0	$-0.295\ 1$	$-0.222\ 1$	0.144 6	0.369 1	0.355 9
6.000 0	0.150 6	$-0.276\ 7$	$-0.242\ 9$	0.114 8	0.357 6	0.362 1
6.100 0	0.177 3	$-0.255\ 9$	$-0.261\ 2$	0.084 6	0.344 4	0.367 1
6.200 0	0.201 7	$-0.232\ 9$	$-0.276\ 9$	0.054 3	0.329 4	0.370 8
6.300 0	0.223 8	$-0.208\ 1$	$-0.289\ 9$	0.024 0	0.312 8	0.373 1
6.400 0	0.243 3	$-0.181\ 6$	$-0.300\ 1$	$-0.005\ 9$	0.294 5	0.374 1
6.500 0	0.260 1	$-0.153\ 8$	$-0.307\ 4$	$-0.035\ 3$	0.274 8	0.373 6
6.600 0	0.274 0	$-0.125\ 0$	$-0.311\ 9$	$-0.064\ 1$	0.253 7	0.371 6
6.700 0	0.285 1	$-0.095\ 3$	$-0.313\ 5$	$-0.091\ 8$	0.231 3	0.368 0

续表

x	$J_0(x)$	$J_1(x)$	$J_2(x)$	$J_3(x)$	$J_4(x)$	$J_5(x)$
6.800 0	0.293 1	−0.065 2	−0.312 3	−0.118 5	0.207 7	0.362 9
6.900 0	0.298 1	−0.034 9	−0.308 2	−0.143 8	0.183 2	0.356 2
7.000 0	0.300 1	−0.004 7	−0.301 4	−0.167 6	0.157 8	0.347 9
7.100 0	0.299 1	0.025 2	−0.292 0	−0.189 6	0.131 7	0.338 0
7.200 0	0.295 1	0.054 3	−0.280 0	−0.209 9	0.105 1	0.326 6
7.300 0	0.288 2	0.082 6	−0.265 6	−0.228 1	0.078 1	0.313 7
7.400 0	0.278 6	0.109 6	−0.249 0	−0.244 2	0.051 0	0.299 3
7.500 0	0.266 3	0.135 2	−0.230 3	−0.258 1	0.023 8	0.283 5
7.600 0	0.251 6	0.159 2	−0.209 7	−0.269 6	−0.003 1	0.266 3
7.700 0	0.234 6	0.181 3	−0.187 5	−0.278 7	−0.029 7	0.247 8
7.800 0	0.215 4	0.201 4	−0.163 8	−0.285 3	−0.055 7	0.228 2
7.900 0	0.194 4	0.219 2	−0.138 9	−0.289 5	−0.081 0	0.207 5
8.000 0	0.171 7	0.234 6	−0.113 0	−0.291 1	−0.105 4	0.185 8
8.100 0	0.147 5	0.247 6	−0.086 4	−0.290 3	−0.128 6	0.163 2
8.200 0	0.122 2	0.258 0	−0.059 3	−0.286 9	−0.150 7	0.139 9
8.300 0	0.096 0	0.265 7	−0.032 0	−0.281 1	−0.171 3	0.116 1
8.400 0	0.069 2	0.270 8	−0.004 7	−0.273 0	−0.190 3	0.091 8
8.500 0	0.041 9	0.273 1	0.022 3	−0.262 6	−0.207 7	0.067 1
8.600 0	0.014 6	0.272 8	0.048 8	−0.250 1	−0.223 3	0.042 4

续表

x	$J_0(x)$	$J_1(x)$	$J_2(x)$	$J_3(x)$	$J_4(x)$	$J_5(x)$
8.700 0	$-0.012\ 5$	0.269 7	0.074 5	$-0.235\ 5$	$-0.236\ 9$	0.017 6
8.800 0	$-0.039\ 2$	0.264 1	0.099 3	$-0.219\ 0$	$-0.248\ 5$	$-0.007\ 0$
8.900 0	$-0.065\ 3$	0.255 9	0.122 8	$-0.200\ 7$	$-0.258\ 1$	$-0.031\ 3$
9.000 0	$-0.090\ 3$	0.245 3	0.144 8	$-0.180\ 9$	$-0.265\ 5$	$-0.055\ 0$
9.100 0	$-0.114\ 2$	0.232 4	0.165 3	$-0.159\ 8$	$-0.270\ 7$	$-0.078\ 2$
9.200 0	$-0.136\ 7$	0.217 4	0.184 0	$-0.137\ 4$	$-0.273\ 6$	$-0.100\ 5$
9.300 0	$-0.157\ 7$	0.200 4	0.200 8	$-0.114\ 1$	$-0.274\ 3$	$-0.121\ 9$
9.400 0	$-0.176\ 8$	0.181 6	0.215 4	$-0.090\ 0$	$-0.272\ 8$	$-0.142\ 2$
9.500 0	$-0.193\ 9$	0.161 3	0.227 9	$-0.065\ 3$	$-0.269\ 1$	$-0.161\ 3$
9.600 0	$-0.209\ 0$	0.139 5	0.238 0	$-0.040\ 3$	$-0.263\ 3$	$-0.179\ 0$
9.700 0	$-0.221\ 8$	0.116 6	0.245 8	$-0.015\ 3$	$-0.255\ 3$	$-0.195\ 3$
9.800 0	$-0.232\ 3$	0.092 8	0.251 2	0.009 7	$-0.245\ 3$	$-0.209\ 9$
9.900 0	$-0.240\ 3$	0.068 4	0.254 2	0.034 3	$-0.233\ 4$	$-0.222\ 9$
10.000 0	$-0.245\ 9$	0.043 5	0.254 6	0.058 4	$-0.219\ 6$	$-0.234\ 1$
10.100 0	$-0.249\ 0$	0.018 4	0.252 7	0.081 7	$-0.204\ 2$	$-0.243\ 4$
10.200 0	$-0.249\ 6$	$-0.006\ 6$	0.248 3	0.104 0	$-0.187\ 1$	$-0.250\ 8$
10.300 0	$-0.247\ 7$	$-0.031\ 3$	0.241 6	0.125 2	$-0.168\ 7$	$-0.256\ 2$
10.400 0	$-0.243\ 4$	$-0.055\ 5$	0.232 7	0.145 0	$-0.149\ 1$	$-0.259\ 6$
10.500 0	$-0.236\ 6$	$-0.078\ 9$	0.221 6	0.163 3	$-0.128\ 3$	$-0.261\ 1$

续表

x	$J_0(x)$	$J_1(x)$	$J_2(x)$	$J_3(x)$	$J_4(x)$	$J_5(x)$
10.600 0	$-0.227\ 6$	$-0.101\ 2$	0.208 5	0.179 9	$-0.106\ 7$	$-0.260\ 4$
10.700 0	$-0.216\ 4$	$-0.122\ 4$	0.193 6	0.194 8	$-0.084\ 4$	$-0.257\ 8$
10.800 0	$-0.203\ 2$	$-0.142\ 2$	0.176 9	0.207 7	$-0.061\ 5$	$-0.253\ 2$
10.900 0	$-0.188\ 1$	$-0.160\ 3$	0.158 6	0.218 6	$-0.038\ 3$	$-0.246\ 7$
11.000 0	$-0.171\ 2$	$-0.176\ 8$	0.139 0	0.227 3	$-0.015\ 0$	$-0.238\ 3$
11.100 0	$-0.152\ 8$	$-0.191\ 3$	0.118 3	0.234 0	0.008 2	$-0.228\ 1$
11.200 0	$-0.133\ 0$	$-0.203\ 9$	0.096 6	0.238 3	0.031 1	$-0.216\ 1$
11.300 0	$-0.112\ 1$	$-0.214\ 3$	0.074 1	0.240 5	0.053 6	$-0.202\ 6$
11.400 0	$-0.090\ 2$	$-0.222\ 5$	0.051 2	0.240 4	0.075 3	$-0.187\ 5$
11.500 0	$-0.067\ 7$	$-0.228\ 4$	0.027 9	0.238 1	0.096 3	$-0.171\ 1$
11.600 0	$-0.044\ 6$	$-0.232\ 0$	0.004 6	0.233 6	0.116 2	$-0.153\ 4$
11.700 0	$-0.021\ 3$	$-0.233\ 3$	$-0.018\ 5$	0.227 0	0.134 9	$-0.134\ 7$
11.800 0	0.002 0	$-0.232\ 3$	$-0.041\ 3$	0.218 3	0.152 3	$-0.115\ 0$
11.900 0	0.025 0	$-0.229\ 0$	$-0.063\ 5$	0.207 6	0.168 2	$-0.094\ 5$
12.000 0	0.047 7	$-0.223\ 4$	$-0.084\ 9$	0.195 1	0.182 5	$-0.073\ 5$
12.100 0	0.069 7	$-0.215\ 7$	$-0.105\ 3$	0.180 9	0.195 0	$-0.052\ 0$
12.200 0	0.090 8	$-0.206\ 0$	$-0.124\ 5$	0.165 1	0.205 8	$-0.030\ 2$
12.300 0	0.110 8	$-0.194\ 3$	$-0.142\ 4$	0.148 0	0.214 6	$-0.008\ 4$
12.400 0	0.129 6	$-0.180\ 7$	$-0.158\ 7$	0.129 5	0.221 4	0.013 3

4. 柱诺埃曼函数表

x	$N_0(x)$	$N_1(x)$	$N_2(x)$	$N_3(x)$	$N_4(x)$	$N_5(x)$
0	$-\infty$	$-\infty$	$-\infty$	$-\infty$	$-\infty$	$-\infty$
0.100 0	$-1.534\ 2$	$-6.459\ 0$	$-127.644\ 8$	$-5\ 099.3$	$-305\ 832.3$	$-24\ 461\ 484.5$
0.200 0	$-1.081\ 1$	$-3.323\ 8$	$-32.157\ 1$	$-639.819\ 1$	$-19\ 162.4$	$-765\ 856.7$
0.300 0	$-0.807\ 3$	$-2.293\ 1$	$-14.480\ 1$	$-190.774\ 8$	$-3\ 801.016\ 2$	$-101\ 169.7$
0.400 0	$-0.606\ 0$	$-1.780\ 9$	$-8.298\ 3$	$-81.202\ 5$	$-1\ 209.738\ 9$	$-24\ 113.576\ 1$
0.500 0	$-0.444\ 5$	$-1.471\ 5$	$-5.441\ 4$	$-42.059\ 5$	$-499.272\ 6$	$-7\ 946.301\ 4$
0.600 0	$-0.308\ 5$	$-1.260\ 4$	$-3.892\ 8$	$-24.691\ 6$	$-243.022\ 9$	$-3\ 215.614\ 2$
0.700 0	$-0.190\ 7$	$-1.103\ 2$	$-2.961\ 5$	$-15.819\ 5$	$-132.634\ 1$	$-1\ 499.998\ 3$
0.800 0	$-0.086\ 8$	$-0.978\ 1$	$-2.358\ 6$	$-10.814\ 6$	$-78.751\ 3$	$-776.698\ 3$
0.900 0	$0.005\ 6$	$-0.873\ 1$	$-1.945\ 9$	$-7.775\ 4$	$-49.889\ 8$	$-435.689\ 8$
1.000 0	$0.088\ 3$	$-0.781\ 2$	$-1.650\ 7$	$-5.821\ 5$	$-33.278\ 4$	$-260.405\ 9$
1.100 0	$0.162\ 2$	$-0.698\ 1$	$-1.431\ 5$	$-4.507\ 2$	$-23.153\ 4$	$-163.881\ 3$
1.200 0	$0.228\ 1$	$-0.621\ 1$	$-1.263\ 3$	$-3.589\ 9$	$-16.686\ 2$	$-107.651\ 3$
1.300 0	$0.286\ 5$	$-0.548\ 5$	$-1.130\ 4$	$-2.929\ 7$	$-12.391\ 1$	$-73.323\ 5$
1.400 0	$0.337\ 9$	$-0.479\ 1$	$-1.022\ 4$	$-2.442\ 0$	$-9.443\ 2$	$-51.519\ 1$
1.500 0	$0.382\ 4$	$-0.412\ 3$	$-0.932\ 2$	$-2.073\ 5$	$-7.362\ 0$	$-37.190\ 3$
1.600 0	$0.420\ 4$	$-0.347\ 6$	$-0.854\ 9$	$-1.789\ 7$	$-5.856\ 4$	$-27.492\ 2$
1.700 0	$0.452\ 0$	$-0.284\ 7$	$-0.787\ 0$	$-1.567\ 0$	$-4.743\ 7$	$-20.756\ 3$

续表

x	$N_0(x)$	$N_1(x)$	$N_2(x)$	$N_3(x)$	$N_4(x)$	$N_5(x)$
1.800 0	0.477 4	$-0.223\ 7$	$-0.725\ 9$	$-1.389\ 6$	$-3.905\ 9$	$-15.970\ 0$
1.900 0	0.496 8	$-0.164\ 4$	$-0.669\ 9$	$-1.245\ 9$	$-3.264\ 4$	$-12.499\ 1$
2.000 0	0.510 4	$-0.107\ 0$	$-0.617\ 4$	$-1.127\ 8$	$-2.765\ 9$	$-9.936\ 0$
2.100 0	0.518 3	$-0.051\ 7$	$-0.567\ 5$	$-1.029\ 3$	$-2.373\ 3$	$-8.012\ 0$
2.200 0	0.520 8	0.001 5	$-0.519\ 4$	$-0.945\ 9$	$-2.060\ 3$	$-6.546\ 2$
2.300 0	0.518 1	0.052 3	$-0.472\ 6$	$-0.874\ 2$	$-1.808\ 0$	$-5.414\ 3$
2.400 0	0.510 4	0.100 5	$-0.426\ 7$	$-0.811\ 6$	$-1.602\ 4$	$-4.529\ 6$
2.500 0	0.498 1	0.145 9	$-0.381\ 3$	$-0.756\ 1$	$-1.433\ 2$	$-3.830\ 2$
2.600 0	0.481 3	0.188 4	$-0.336\ 4$	$-0.706\ 0$	$-1.292\ 7$	$-3.271\ 6$
2.700 0	0.460 5	0.227 6	$-0.291\ 9$	$-0.660\ 1$	$-1.174\ 9$	$-2.821\ 2$
2.800 0	0.435 9	0.263 5	$-0.247\ 7$	$-0.617\ 4$	$-1.075\ 2$	$-2.454\ 8$
2.900 0	0.407 9	0.295 9	$-0.203\ 8$	$-0.577\ 1$	$-0.990\ 1$	$-2.154\ 3$
3.000 0	0.376 9	0.324 7	$-0.160\ 4$	$-0.538\ 5$	$-0.916\ 7$	$-1.905\ 9$
3.100 0	0.343 1	0.349 6	$-0.117\ 5$	$-0.501\ 3$	$-0.852\ 7$	$-1.699\ 2$
3.200 0	0.307 1	0.370 7	$-0.075\ 4$	$-0.464\ 9$	$-0.796\ 3$	$-1.526\ 0$
3.300 0	0.269 1	0.387 9	$-0.034\ 0$	$-0.429\ 1$	$-0.746\ 2$	$-1.379\ 8$
3.400 0	0.229 6	0.401 0	0.006 3	$-0.393\ 6$	$-0.700\ 9$	$-1.255\ 6$
3.500 0	0.189 0	0.410 2	0.045 4	$-0.358\ 3$	$-0.659\ 7$	$-1.149\ 5$

续表

x	$N_0(x)$	$N_1(x)$	$N_2(x)$	$N_3(x)$	$N_4(x)$	$N_5(x)$
3.600 0	0.147 7	0.415 4	0.083 1	$-0.323\ 1$	$-0.621\ 6$	$-1.058\ 1$
3.700 0	0.106 1	0.416 7	0.119 2	$-0.287\ 9$	$-0.586\ 0$	$-0.979\ 1$
3.800 0	0.064 5	0.414 1	0.153 5	$-0.252\ 6$	$-0.552\ 3$	$-0.910\ 1$
3.900 0	0.023 4	0.407 8	0.185 8	$-0.217\ 3$	$-0.520\ 1$	$-0.849\ 5$
4.000 0	$-0.016\ 9$	0.397 9	0.215 9	$-0.182\ 0$	$-0.488\ 9$	$-0.795\ 9$
4.100 0	$-0.056\ 1$	0.384 6	0.243 7	$-0.146\ 8$	$-0.458\ 6$	$-0.748\ 0$
4.200 0	$-0.093\ 8$	0.368 0	0.269 0	$-0.111\ 8$	$-0.428\ 7$	$-0.704\ 8$
4.300 0	$-0.129\ 6$	0.348 4	0.291 6	$-0.077\ 1$	$-0.399\ 2$	$-0.665\ 6$
4.400 0	$-0.163\ 3$	0.326 0	0.311 5	$-0.042\ 8$	$-0.369\ 8$	$-0.629\ 7$
4.500 0	$-0.194\ 7$	0.301 0	0.328 5	$-0.009\ 0$	$-0.340\ 5$	$-0.596\ 3$
4.600 0	$-0.223\ 5$	0.273 7	0.342 5	0.024 1	$-0.311\ 1$	$-0.565\ 1$
4.700 0	$-0.249\ 4$	0.244 5	0.353 4	0.056 3	$-0.281\ 6$	$-0.535\ 6$
4.800 0	$-0.272\ 3$	0.213 6	0.361 3	0.087 5	$-0.251\ 9$	$-0.507\ 3$
4.900 0	$-0.292\ 1$	0.181 2	0.366 0	0.117 6	$-0.222\ 1$	$-0.480\ 1$
5.000 0	$-0.308\ 5$	0.147 9	0.367 7	0.146 3	$-0.192\ 1$	$-0.453\ 7$
5.100 0	$-0.321\ 6$	0.113 7	0.366 2	0.173 5	$-0.162\ 1$	$-0.427\ 8$
5.200 0	$-0.331\ 3$	0.079 2	0.361 7	0.199 0	$-0.132\ 0$	$-0.402\ 2$
5.300 0	$-0.337\ 4$	0.044 5	0.354 2	0.222 8	$-0.102\ 0$	$-0.376\ 8$

续表

x	$N_0(x)$	$N_1(x)$	$N_2(x)$	$N_3(x)$	$N_4(x)$	$N_5(x)$
5.400 0	$-0.340\ 2$	0.010 1	0.343 9	0.244 6	$-0.072\ 1$	$-0.351\ 5$
5.500 0	$-0.339\ 5$	$-0.023\ 8$	0.330 8	0.264 4	$-0.042\ 4$	$-0.326\ 1$
5.600 0	$-0.335\ 4$	$-0.056\ 8$	0.315 2	0.281 9	$-0.013\ 1$	$-0.300\ 6$
5.700 0	$-0.328\ 2$	$-0.088\ 7$	0.297 0	0.297 2	0.015 8	$-0.275\ 0$
5.800 0	$-0.317\ 7$	$-0.119\ 2$	0.276 6	0.310 0	0.044 1	$-0.249\ 2$
5.900 0	$-0.304\ 4$	$-0.148\ 1$	0.254 2	0.320 4	0.071 7	$-0.223\ 2$
6.000 0	$-0.288\ 2$	$-0.175\ 0$	0.229 9	0.328 2	0.098 4	$-0.197\ 1$
6.100 0	$-0.269\ 4$	$-0.199\ 8$	0.203 9	0.333 5	0.124 1	$-0.170\ 7$
6.200 0	$-0.248\ 3$	$-0.222\ 3$	0.176 6	0.336 2	0.148 8	$-0.144\ 3$
6.300 0	$-0.225\ 1$	$-0.242\ 2$	0.148 2	0.336 3	0.172 1	$-0.117\ 7$
6.400 0	$-0.199\ 9$	$-0.259\ 6$	0.118 8	0.333 8	0.194 1	$-0.091\ 2$
6.500 0	$-0.173\ 2$	$-0.274\ 1$	0.088 9	0.328 8	0.214 6	$-0.064\ 7$
6.600 0	$-0.145\ 2$	$-0.285\ 7$	0.058 6	0.321 3	0.233 4	$-0.038\ 3$
6.700 0	$-0.116\ 2$	$-0.294\ 5$	0.028 3	0.311 4	0.250 5	$-0.012\ 2$
6.800 0	$-0.086\ 4$	$-0.300\ 2$	$-0.001\ 9$	0.299 1	0.265 8	0.013 6
6.900 0	$-0.056\ 3$	$-0.302\ 9$	$-0.031\ 5$	0.284 6	0.279 1	0.038 9
7.000 0	$-0.025\ 9$	$-0.302\ 7$	$-0.060\ 5$	0.268 1	0.290 3	0.063 7
7.100 0	0.004 2	$-0.299\ 5$	$-0.088\ 5$	0.249 6	0.299 5	0.087 8

续表

x	$N_0(x)$	$N_1(x)$	$N_2(x)$	$N_3(x)$	$N_4(x)$	$N_5(x)$
7.200 0	0.033 9	−0.293 4	−0.115 4	0.229 3	0.306 5	0.111 2
7.300 0	0.062 8	−0.284 6	−0.140 7	0.207 5	0.311 3	0.133 6
7.400 0	0.090 7	−0.273 1	−0.164 5	0.184 2	0.313 8	0.155 1
7.500 0	0.117 3	−0.259 1	−0.186 4	0.159 7	0.314 2	0.175 4
7.600 0	0.142 4	−0.242 8	−0.206 3	0.134 2	0.312 3	0.194 5
7.700 0	0.165 8	−0.224 3	−0.224 1	0.107 9	0.308 2	0.212 2
7.800 0	0.187 2	−0.203 9	−0.239 5	0.081 1	0.301 9	0.228 5
7.900 0	0.206 5	−0.181 7	−0.252 5	0.053 9	0.293 4	0.243 3
8.000 0	0.223 5	−0.158 1	−0.263 0	0.026 5	0.282 9	0.256 4
8.100 0	0.238 1	−0.133 1	−0.271 0	−0.000 7	0.270 5	0.267 8
8.200 0	0.250 1	−0.107 2	−0.276 3	−0.027 5	0.256 1	0.277 4
8.300 0	0.259 5	−0.080 6	−0.278 9	−0.053 8	0.240 0	0.285 2
8.400 0	0.266 2	−0.053 5	−0.279 0	−0.079 4	0.222 3	0.291 0
8.500 0	0.270 2	−0.026 2	−0.276 4	−0.103 9	0.203 0	0.295 0
8.600 0	0.271 5	0.001 1	−0.271 2	−0.127 2	0.182 4	0.296 9
8.700 0	0.270 0	0.028 0	−0.263 6	−0.149 2	0.160 7	0.296 9
8.800 0	0.265 9	0.054 4	−0.253 5	−0.169 6	0.137 9	0.294 9
8.900 0	0.259 2	0.079 9	−0.241 2	−0.188 3	0.114 3	0.291 0

续表

x	$N_0(x)$	$N_1(x)$	$N_2(x)$	$N_3(x)$	$N_4(x)$	$N_5(x)$
9.000 0	0.249 9	0.104 3	−0.226 8	−0.205 1	0.090 0	0.285 1
9.100 0	0.238 3	0.127 5	−0.210 3	−0.219 9	0.065 3	0.277 3
9.200 0	0.224 5	0.149 1	−0.192 1	−0.232 6	0.040 4	0.267 7
9.300 0	0.208 6	0.169 1	−0.172 2	−0.243 1	0.015 4	0.256 3
9.400 0	0.190 7	0.187 1	−0.150 9	−0.251 4	−0.009 5	0.243 3
9.500 0	0.171 2	0.203 2	−0.128 4	−0.257 3	−0.034 0	0.228 6
9.600 0	0.150 2	0.217 1	−0.105 0	−0.260 8	−0.058 0	0.212 4
9.700 0	0.127 9	0.228 7	−0.080 7	−0.262 0	−0.081 3	0.194 9
9.800 0	0.104 5	0.237 9	−0.056 0	−0.260 7	−0.103 7	0.176 1
9.900 0	0.080 4	0.244 7	−0.030 9	−0.257 2	−0.124 9	0.156 2
10.000 0	0.055 7	0.249 0	−0.005 9	−0.251 4	−0.144 9	0.135 4
10.100 0	0.030 7	0.250 8	0.019 0	−0.243 3	−0.163 6	0.113 8
10.200 0	0.005 6	0.250 2	0.043 5	−0.233 1	−0.180 6	0.091 5
10.300 0	−0.019 3	0.247 1	0.067 3	−0.220 9	−0.196 0	0.068 7
10.400 0	−0.043 7	0.241 6	0.090 2	−0.206 9	−0.209 5	0.045 7
10.500 0	−0.067 5	0.233 7	0.112 0	−0.191 0	−0.221 2	0.022 5
10.600 0	−0.090 4	0.223 6	0.132 6	−0.173 6	−0.230 9	−0.000 7
10.700 0	−0.112 2	0.211 4	0.151 7	−0.154 7	−0.238 5	−0.023 6

续表

x	$N_0(x)$	$N_1(x)$	$N_2(x)$	$N_3(x)$	$N_4(x)$	$N_5(x)$
10.800 0	$-0.132\ 6$	0.197 3	0.169 2	$-0.134\ 6$	$-0.244\ 0$	$-0.046\ 1$
10.900 0	$-0.151\ 6$	0.181 3	0.184 9	$-0.113\ 5$	$-0.247\ 3$	$-0.068\ 0$
11.000 0	$-0.168\ 8$	0.163 7	0.198 6	$-0.091\ 5$	$-0.248\ 5$	$-0.089\ 3$
11.100 0	$-0.184\ 3$	0.144 6	0.210 3	$-0.068\ 8$	$-0.247\ 5$	$-0.109\ 6$
11.200 0	$-0.197\ 7$	0.124 3	0.219 9	$-0.045\ 8$	$-0.244\ 4$	$-0.128\ 8$
11.300 0	$-0.209\ 1$	0.102 9	0.227 3	$-0.022\ 5$	$-0.239\ 3$	$-0.146\ 9$
11.400 0	$-0.218\ 3$	0.080 7	0.232 5	0.000 8	$-0.232\ 0$	$-0.163\ 6$
11.500 0	$-0.225\ 2$	0.057 9	0.235 3	0.023 9	$-0.222\ 8$	$-0.178\ 9$
11.600 0	$-0.229\ 9$	0.034 8	0.235 9	0.046 6	$-0.211\ 8$	$-0.192\ 6$
11.700 0	$-0.232\ 2$	0.011 4	0.234 1	0.068 6	$-0.199\ 0$	$-0.204\ 6$
11.800 0	$-0.232\ 2$	$-0.011\ 8$	0.230 2	0.089 8	$-0.184\ 5$	$-0.214\ 9$
11.900 0	$-0.229\ 8$	$-0.034\ 7$	0.224 0	0.110 0	$-0.168\ 5$	$-0.223\ 3$
12.000 0	$-0.225\ 2$	$-0.057\ 1$	0.215 7	0.129 0	$-0.151\ 2$	$-0.229\ 8$
12.100 0	$-0.218\ 4$	$-0.078\ 7$	0.205 4	0.146 6	$-0.132\ 7$	$-0.234\ 4$
12.200 0	$-0.209\ 5$	$-0.099\ 4$	0.193 2	0.162 8	$-0.113\ 2$	$-0.237\ 0$
12.300 0	$-0.198\ 6$	$-0.118\ 9$	0.179 3	0.177 2	$-0.092\ 8$	$-0.237\ 6$
12.400 0	$-0.185\ 8$	$-0.137\ 1$	0.163 7	0.189 9	$-0.071\ 8$	$-0.236\ 2$

附录三 球函数的图和表

1.球函数的一些图

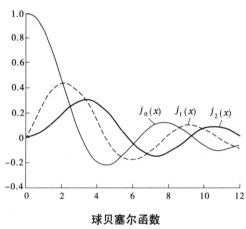

球贝塞尔函数

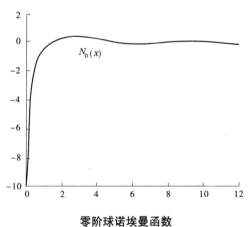

零阶球诺埃曼函数

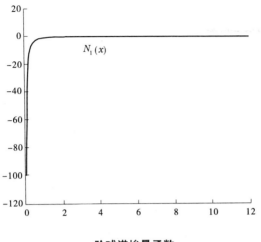

一阶球诺埃曼函数

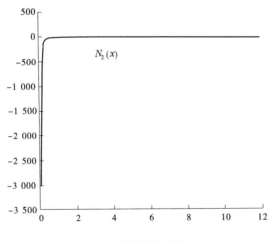

二阶球诺埃曼函数

2. 球贝塞尔函数的根值

$j_0(x_n) = 0$		$j_1(x_n) = 0$		$j_2(x_n) = 0$	
n	x_n	n	x_n	n	x_n
1	1.570 8	1	2.798 4	1	3.959 6
2	4.712 4	2	6.121 3	2	7.451 7
3	7.854 0	3	9.317 9	3	10.715 7
4	10.995 6	4	12.486 5	4	13.921 7
5	14.137 2	5	15.644 2	5	17.103 4

3. 球贝塞尔函数表

x	$j_0(x)$	$j_1(x)$	$j_2(x)$	$j_3(x)$	$j_4(x)$	$j_5(x)$
0.100 0	0.998 3	0.033 3	0.000 7	0.000 0	0.000 0	0.000 0
0.200 0	0.993 3	0.066 4	0.002 7	0.000 1	0.000 0	0.000 0
0.300 0	0.985 1	0.099 1	0.006 0	0.000 3	0.000 0	0.000 0
0.400 0	0.973 5	0.131 2	0.010 5	0.000 6	0.000 0	0.000 0
0.500 0	0.958 9	0.162 5	0.016 4	0.001 2	0.000 1	0.000 0
0.600 0	0.941 1	0.192 9	0.023 4	0.002 0	0.000 1	0.000 0
0.700 0	0.920 3	0.222 1	0.031 5	0.003 2	0.000 2	0.000 0
0.800 0	0.896 7	0.250 0	0.040 8	0.004 7	0.000 4	0.000 0
0.900 0	0.870 4	0.276 4	0.050 9	0.006 6	0.000 7	0.000 1
1.000 0	0.841 5	0.301 2	0.062 0	0.009 0	0.001 0	0.000 1
1.100 0	0.810 2	0.324 2	0.073 9	0.011 8	0.001 5	0.000 1

续表

x	$j_0(x)$	$j_1(x)$	$j_2(x)$	$j_3(x)$	$j_4(x)$	$j_5(x)$
1.200 0	0.776 7	0.345 3	0.086 5	0.015 2	0.002 1	0.000 2
1.300 0	0.741 2	0.364 4	0.099 7	0.019 0	0.002 8	0.000 3
1.400 0	0.703 9	0.381 4	0.113 3	0.023 4	0.003 7	0.000 5
1.500 0	0.665 0	0.396 2	0.127 3	0.028 3	0.004 8	0.000 7
1.600 0	0.624 7	0.408 7	0.141 6	0.033 8	0.006 2	0.000 9
1.700 0	0.583 3	0.418 9	0.156 0	0.039 8	0.007 7	0.001 2
1.800 0	0.541 0	0.426 8	0.170 3	0.046 3	0.009 6	0.001 6
1.900 0	0.498 1	0.432 3	0.184 5	0.053 2	0.011 7	0.002 1
2.000 0	0.454 6	0.435 4	0.198 4	0.060 7	0.014 1	0.002 6
2.100 0	0.411 1	0.436 1	0.212 0	0.068 6	0.016 8	0.003 3
2.200 0	0.367 5	0.434 5	0.225 1	0.077 0	0.019 8	0.004 1
2.300 0	0.324 2	0.430 7	0.237 5	0.085 6	0.023 2	0.005 0
2.400 0	0.281 4	0.424 5	0.249 2	0.094 7	0.026 9	0.006 1
2.500 0	0.239 4	0.416 2	0.260 1	0.103 9	0.030 9	0.007 4
2.600 0	0.198 3	0.405 8	0.270 0	0.113 4	0.035 3	0.008 8
2.700 0	0.158 3	0.393 5	0.278 9	0.123 0	0.040 0	0.010 4
2.800 0	0.119 6	0.379 2	0.286 7	0.132 7	0.045 1	0.012 2
2.900 0	0.082 5	0.363 3	0.293 3	0.142 4	0.050 5	0.014 2
3.000 0	0.047 0	0.345 7	0.298 6	0.152 1	0.056 1	0.016 4

续表

x	$j_0(x)$	$j_1(x)$	$j_2(x)$	$j_3(x)$	$j_4(x)$	$j_5(x)$
3.100 0	0.013 4	0.326 6	0.302 7	0.161 6	0.062 1	0.018 8
3.200 0	− 0.018 2	0.306 3	0.305 4	0.170 9	0.068 4	0.021 5
3.300 0	− 0.047 8	0.284 8	0.306 7	0.179 9	0.074 9	0.024 5
3.400 0	− 0.075 2	0.262 2	0.306 6	0.188 6	0.081 7	0.027 6
3.500 0	− 0.100 2	0.238 9	0.305 0	0.196 8	0.088 6	0.031 0
3.600 0	− 0.122 9	0.215 0	0.302 1	0.204 6	0.095 7	0.034 7
3.700 0	− 0.143 2	0.190 5	0.297 7	0.211 7	0.102 9	0.038 6
3.800 0	− 0.161 0	0.165 8	0.291 9	0.218 3	0.110 2	0.042 8
3.900 0	− 0.176 4	0.140 9	0.284 7	0.224 1	0.117 6	0.047 2
4.000 0	− 0.189 2	0.116 1	0.276 3	0.229 2	0.124 9	0.051 8
4.100 0	− 0.199 6	0.091 5	0.266 5	0.233 5	0.132 2	0.056 6
4.200 0	− 0.207 5	0.067 3	0.255 6	0.237 0	0.139 3	0.061 6
4.300 0	− 0.213 1	0.043 7	0.243 5	0.239 5	0.146 4	0.066 9
4.400 0	− 0.216 3	0.020 7	0.230 4	0.241 1	0.153 2	0.072 2
4.500 0	− 0.217 2	− 0.001 4	0.216 3	0.241 7	0.159 8	0.077 8
4.600 0	− 0.216 0	− 0.022 6	0.201 3	0.241 4	0.166 0	0.083 4
4.700 0	− 0.212 7	− 0.042 6	0.185 5	0.240 0	0.171 9	0.089 2
4.800 0	− 0.207 5	− 0.061 5	0.169 1	0.237 6	0.177 4	0.095 0
4.900 0	− 0.200 5	− 0.079 0	0.152 1	0.234 2	0.182 5	0.100 9

续表

x	$j_0(x)$	$j_1(x)$	$j_2(x)$	$j_3(x)$	$j_4(x)$	$j_5(x)$
5.000 0	$-0.191\ 8$	$-0.095\ 1$	0.134 7	0.229 8	0.187 0	0.106 8
5.100 0	$-0.181\ 5$	$-0.109\ 7$	0.117 0	0.224 4	0.191 0	0.112 7
5.200 0	$-0.169\ 9$	$-0.122\ 8$	0.099 1	0.218 0	0.194 4	0.118 5
5.300 0	$-0.157\ 0$	$-0.134\ 2$	0.081 1	0.210 7	0.197 2	0.124 2
5.400 0	$-0.143\ 1$	$-0.144\ 0$	0.063 1	0.202 4	0.199 3	0.129 8
5.500 0	$-0.128\ 3$	$-0.152\ 2$	0.045 3	0.193 3	0.200 8	0.135 2
5.600 0	$-0.112\ 7$	$-0.158\ 6$	0.027 7	0.183 4	0.201 5	0.140 4
5.700 0	$-0.096\ 6$	$-0.163\ 4$	0.010 6	0.172 7	0.201 5	0.145 4
5.800 0	$-0.080\ 1$	$-0.166\ 5$	$-0.006\ 0$	0.161 3	0.200 7	0.150 1
5.900 0	$-0.063\ 4$	$-0.167\ 9$	$-0.022\ 0$	0.149 3	0.199 1	0.154 5
6.000 0	$-0.046\ 6$	$-0.167\ 8$	$-0.037\ 3$	0.136 7	0.196 8	0.158 5
6.100 0	$-0.029\ 9$	$-0.166\ 1$	$-0.051\ 8$	0.123 6	0.193 7	0.162 1
6.200 0	$-0.013\ 4$	$-0.162\ 9$	$-0.065\ 4$	0.110 1	0.189 8	0.165 3
6.300 0	0.002 7	$-0.158\ 3$	$-0.078\ 0$	0.096 3	0.185 1	0.168 1
6.400 0	0.018 2	$-0.152\ 3$	$-0.089\ 6$	0.082 3	0.179 7	0.170 3
6.500 0	0.033 1	$-0.145\ 2$	$-0.100\ 1$	0.068 2	·0.173 5	0.172 1
6.600 0	0.047 2	$-0.136\ 8$	$-0.109\ 4$	0.053 9	0.166 6	0.173 3
6.700 0	0.060 4	$-0.127\ 5$	$-0.117\ 5$	0.039 8	0.159 0	0.173 9
6.800 0	0.072 7	$-0.117\ 2$	$-0.124\ 4$	0.025 7	0.150 8	0.173 9

续表

x	$j_0(x)$	$j_1(x)$	$j_2(x)$	$j_3(x)$	$j_4(x)$	$j_5(x)$
6.900 0	0.083 8	−0.106 1	−0.129 9	0.011 9	0.142 0	0.173 3
7.000 0	0.093 9	−0.094 3	−0.134 3	−0.001 6	0.132 7	0.172 2
7.100 0	0.102 7	−0.082 0	−0.137 3	−0.014 7	0.122 8	0.170 4
7.200 0	0.110 2	−0.069 2	−0.139 1	−0.027 4	0.112 4	0.167 9
7.300 0	0.116 5	−0.056 1	−0.139 6	−0.039 5	0.101 7	0.164 9
7.400 0	0.121 4	−0.042 9	−0.138 8	−0.050 9	0.090 6	0.161 2
7.500 0	0.125 1	−0.029 5	−0.136 9	−0.061 7	0.079 3	0.156 9
7.600 0	0.127 4	−0.016 3	−0.133 8	−0.071 7	0.067 7	0.151 9
7.700 0	0.128 3	−0.003 3	−0.129 6	−0.080 9	0.056 1	0.146 4
7.800 0	0.128 0	0.009 5	−0.124 4	−0.089 2	0.044 3	0.140 3
7.900 0	0.126 4	0.021 8	−0.118 2	−0.096 6	0.032 6	0.133 7
8.000 0	0.123 7	0.033 6	−0.111 1	−0.103 1	0.020 9	0.126 5
8.100 0	0.119 7	0.044 8	−0.103 1	−0.108 5	0.009 4	0.118 9
8.200 0	0.114 7	0.055 4	−0.094 5	−0.113 0	−0.002 0	0.110 8
8.300 0	0.108 7	0.065 1	−0.085 2	−0.116 4	−0.013 0	0.102 3
8.400 0	0.101 7	0.073 9	−0.075 3	−0.118 8	−0.023 6	0.093 4
8.500 0	0.093 9	0.081 9	−0.065 0	−0.120 1	−0.033 9	0.084 2
8.600 0	0.085 4	0.088 9	−0.054 4	−0.120 5	−0.043 7	0.074 8
8.700 0	0.076 2	0.094 8	−0.043 5	−0.119 8	−0.052 9	0.065 1

续表

x	$j_0(x)$	$j_1(x)$	$j_2(x)$	$j_3(x)$	$j_4(x)$	$j_5(x)$
8.800 0	0.066 5	0.099 7	$-0.032\ 5$	$-0.118\ 2$	$-0.061\ 5$	0.055 2
8.900 0	0.056 3	0.103 6	$-0.021\ 4$	$-0.115\ 6$	$-0.069\ 5$	0.045 3
9.000 0	0.045 8	0.106 3	$-0.010\ 3$	$-0.112\ 1$	$-0.076\ 8$	0.035 3
9.100 0	0.035 1	0.108 0	0.000 5	$-0.107\ 7$	$-0.083\ 4$	0.025 2
9.200 0	0.024 2	0.108 6	0.011 2	$-0.102\ 5$	$-0.089\ 2$	0.015 3
9.300 0	0.013 4	0.108 1	0.021 5	$-0.096\ 6$	$-0.094\ 2$	0.005 4
9.400 0	0.002 6	0.106 6	0.031 4	$-0.089\ 9$	$-0.098\ 4$	$-0.004\ 2$
9.500 0	$-0.007\ 9$	0.104 1	0.040 8	$-0.082\ 7$	$-0.101\ 7$	$-0.013\ 7$
9.600 0	$-0.018\ 2$	0.100 7	0.049 6	$-0.074\ 8$	$-0.104\ 2$	$-0.022\ 8$
9.700 0	$-0.028\ 0$	0.096 3	0.057 8	$-0.066\ 5$	$-0.105\ 8$	$-0.031\ 7$
9.800 0	$-0.037\ 4$	0.091 1	0.065 3	$-0.057\ 8$	$-0.106\ 6$	$-0.040\ 1$
9.900 0	$-0.046\ 2$	0.085 1	0.072 0	$-0.048\ 8$	$-0.106\ 5$	$-0.048\ 0$
10.000 0	$-0.054\ 4$	0.078 5	0.077 9	$-0.039\ 5$	$-0.105\ 6$	$-0.055\ 5$
10.100 0	$-0.061\ 9$	0.071 2	0.083 0	$-0.030\ 1$	$-0.103\ 9$	$-0.062\ 5$
10.200 0	$-0.068\ 6$	0.063 3	0.087 2	$-0.020\ 5$	$-0.101\ 3$	$-0.068\ 9$
10.300 0	$-0.074\ 5$	0.055 0	0.090 5	$-0.011\ 0$	$-0.098\ 0$	$-0.074\ 6$
10.400 0	$-0.079\ 6$	0.046 3	0.093 0	$-0.001\ 6$	$-0.094\ 0$	$-0.079\ 8$
10.500 0	$-0.083\ 8$	0.037 3	0.094 4	0.007 7	$-0.089\ 3$	$-0.084\ 2$
10.600 0	$-0.087\ 1$	0.028 1	0.095 0	0.016 7	$-0.084\ 0$	$-0.088\ 0$

续表

x	$j_0(x)$	$j_1(x)$	$j_2(x)$	$j_3(x)$	$j_4(x)$	$j_5(x)$
10.700 0	$-0.089\ 4$	0.018 9	0.094 7	0.025 4	$-0.078\ 1$	$-0.091\ 1$
10.800 0	$-0.090\ 8$	0.009 6	0.093 5	0.033 7	$-0.071\ 6$	$-0.093\ 4$
10.900 0	$-0.091\ 3$	0.000 4	0.091 4	0.041 6	$-0.064\ 7$	$-0.095\ 0$
11.000 0	$-0.090\ 9$	$-0.008\ 7$	0.088 5	0.048 9	$-0.057\ 4$	$-0.095\ 9$
11.100 0	$-0.089\ 6$	$-0.017\ 5$	0.084 9	0.055 7	$-0.049\ 8$	$-0.096\ 0$
11.200 0	$-0.087\ 4$	$-0.025\ 9$	0.080 5	0.061 9	$-0.041\ 8$	$-0.095\ 5$
11.300 0	$-0.084\ 4$	$-0.034\ 0$	0.075 4	0.067 4	$-0.033\ 7$	$-0.094\ 2$
11.400 0	$-0.080\ 6$	$-0.041\ 6$	0.069 7	0.072 2	$-0.025\ 4$	$-0.092\ 2$
11.500 0	$-0.076\ 1$	$-0.048\ 6$	0.063 4	0.076 2	$-0.017\ 0$	$-0.089\ 6$
11.600 0	$-0.070\ 9$	$-0.055\ 1$	0.056 7	0.079 5	$-0.008\ 7$	$-0.086\ 3$
11.700 0	$-0.065\ 1$	$-0.060\ 9$	0.049 5	0.082 1	$-0.000\ 4$	$-0.082\ 4$
11.800 0	$-0.058\ 8$	$-0.066\ 0$	0.042 0	0.083 8	0.007 7	$-0.077\ 9$
11.900 0	$-0.051\ 9$	$-0.070\ 4$	0.034 2	0.084 8	0.015 7	$-0.072\ 9$
12.000 0	$-0.044\ 7$	$-0.074\ 0$	0.026 2	0.085 0	0.023 4	$-0.067\ 4$
12.100 0	$-0.037\ 2$	$-0.076\ 9$	0.018 1	0.084 4	0.030 7	$-0.061\ 5$
12.200 0	$-0.029\ 4$	$-0.078\ 9$	0.010 0	0.083 0	0.037 7	$-0.055\ 2$
12.300 0	$-0.021\ 4$	$-0.080\ 2$	0.001 8	0.080 9	0.044 2	$-0.048\ 6$
12.400 0	$-0.013\ 4$	$-0.080\ 6$	$-0.006\ 1$	0.078 1	0.050 3	$-0.041\ 7$
12.500 0	$-0.005\ 3$	$-0.080\ 2$	$-0.014\ 0$	0.074 7	0.055 8	$-0.034\ 5$

4.球诺埃曼函数表

x	$N_0(x)$	$N_1(x)$	$N_2(x)$	$N_3(x)$	$N_4(x)$	$N_5(x)$
0	$-\infty$	$-\infty$	$-\infty$	$-\infty$	$-\infty$	$-\infty$
0.100 0	$-9.950\,0$	$-100.498\,8$	$-3\,005.012\,5$	$-150\,150.125\,2$	$-10\,507\,508.752\,1$	$-945\,525\,187.562\,5$
0.200 0	$-4.900\,3$	$-25.495\,0$	$-377.524\,8$	$-9\,412.625\,8$	$-329\,064.379\,2$	$-14\,798\,484.437\,6$
0.300 0	$-3.184\,5$	$-11.599\,9$	$-112.814\,7$	$-1\,868.645\,4$	$-43\,488.910\,6$	$-1\,302\,798.673\,8$
0.400 0	$-2.302\,7$	$-6.730\,2$	$-48.173\,7$	$-595.440\,8$	$-10\,372.039\,7$	$-232\,775.453\,5$
0.500 0	$-1.755\,2$	$-4.469\,2$	$-25.059\,9$	$-246.130\,0$	$-3\,420.760\,7$	$-61\,327.563\,2$
0.600 0	$-1.375\,6$	$-3.233\,7$	$-14.792\,8$	$-120.039\,6$	$-1\,385.668\,9$	$-20\,664.994\,0$
0.700 0	$-1.092\,6$	$-2.481\,2$	$-9.541\,1$	$-65.669\,8$	$-647.156\,7$	$-8\,254.91\,7$
0.800 0	$-0.870\,9$	$-1.985\,3$	$-6.574\,0$	$-39.102\,1$	$-335.569\,7$	$-3\,736.05\,7$
0.900 0	$-0.690\,7$	$-1.637\,8$	$-4.768\,6$	$-24.854\,4$	$-188.543\,7$	$-1\,860.58\,2$
1.000 0	$-0.540\,3$	$-1.381\,8$	$-3.605\,0$	$-16.643\,3$	$-112.898\,2$	$-999.440\,3$
1.100 0	$-0.412\,4$	$-1.185\,1$	$-2.819\,6$	$-11.631\,4$	$-71.198\,5$	$-570.901\,7$
1.200 0	$-0.302\,0$	$-1.028\,3$	$-2.268\,9$	$-8.425\,3$	$-46.878\,8$	$-343.165\,7$
1.300 0	$-0.205\,8$	$-0.899\,5$	$-1.870\,0$	$-6.292\,7$	$-32.013\,6$	$-215.340\,2$
1.400 0	$-0.121\,4$	$-0.790\,6$	$-1.572\,8$	$-4.826\,4$	$-22.559\,2$	$-140.197\,0$
1.500 0	$-0.047\,2$	$-0.696\,4$	$-1.345\,7$	$-3.789\,3$	$-16.337\,6$	$-94.236\,1$
1.600 0	$0.018\,2$	$-0.613\,3$	$-1.168\,2$	$-3.037\,4$	$-12.120\,5$	$-65.140\,2$
1.700 0	$0.075\,8$	$-0.538\,7$	$-1.026\,5$	$-2.480\,4$	$-9.187\,1$	$-46.156\,9$

续表

x	$N_0(x)$	$N_1(x)$	$N_2(x)$	$N_3(x)$	$N_4(x)$	$N_5(x)$
1.800 0	0.126 2	−0.470 9	−0.911 1	−2.059 8	−7.099 4	−33.437 0
1.900 0	0.170 2	−0.408 5	−0.815 2	−1.736 6	−5.583 0	−24.709 0
2.000 0	0.208 1	−0.350 6	−0.734 0	−1.484 4	−4.461 3	−18.591 4
2.100 0	0.240 4	−0.296 6	−0.664 1	−1.284 6	−3.617 8	−14.220 4
2.200 0	0.267 5	−0.245 9	−0.602 8	−1.124 2	−2.974 0	−11.042 4
2.300 0	0.289 7	−0.198 3	−0.548 3	−0.993 7	−2.476 0	−8.694 8
2.400 0	0.307 2	−0.153 4	−0.499 0	−0.886 2	−2.085 8	−6.935 4
2.500 0	0.320 5	−0.111 2	−0.453 9	−0.796 6	−1.776 6	−5.599 1
2.600 0	0.329 6	−0.071 5	−0.412 1	−0.721 0	−1.529 0	−4.571 6
2.700 0	0.334 8	−0.034 3	−0.372 9	−0.656 3	−1.328 7	−3.772 5
2.800 0	0.336 5	0.000 5	−0.335 9	−0.600 4	−1.165 1	−3.144 6
2.900 0	0.334 8	0.033 0	−0.300 7	−0.551 4	−1.030 3	−2.646 2
3.000 0	0.330 0	0.063 0	−0.267 0	−0.508 0	−0.918 3	−2.247 0
3.100 0	0.322 3	0.090 6	−0.234 7	−0.469 1	−0.824 5	−1.924 6
3.200 0	0.312 0	0.115 7	−0.203 5	−0.433 7	−0.745 1	−1.662 1
3.300 0	0.299 2	0.138 5	−0.173 3	−0.401 1	−0.677 5	−1.446 7
3.400 0	0.284 4	0.158 8	−0.144 2	−0.370 9	−0.619 4	−1.268 7
3.500 0	0.267 6	0.176 7	−0.116 1	−0.342 6	−0.569 0	−1.120 6

续表

x	$N_0(x)$	$N_1(x)$	$N_2(x)$	$N_3(x)$	$N_4(x)$	$N_5(x)$
3.600 0	0.249 1	0.192 1	−0.089 0	−0.315 7	−0.524 9	−0.996 6
3.700 0	0.229 2	0.205 1	−0.062 9	−0.290 1	−0.486 0	−0.892 0
3.800 0	0.208 1	0.215 8	−0.037 8	−0.265 5	−0.451 3	−0.803 4
3.900 0	0.186 1	0.224 1	−0.013 8	−0.241 7	−0.420 1	−0.727 7
4.000 0	0.163 4	0.230 1	0.009 1	−0.218 6	−0.391 8	−0.662 8
4.100 0	0.140 2	0.233 8	0.030 9	−0.196 1	−0.365 7	−0.606 7
4.200 0	0.116 7	0.235 3	0.051 4	−0.174 2	−0.341 6	−0.557 9
4.300 0	0.093 2	0.234 7	0.070 6	−0.152 7	−0.319 1	−0.515 2
4.400 0	0.069 8	0.232 1	0.088 4	−0.131 7	−0.297 9	−0.477 7
4.500 0	0.046 8	0.227 6	0.104 9	−0.111 1	−0.277 7	−0.444 3
4.600 0	0.024 4	0.221 3	0.120 0	−0.090 9	−0.258 3	−0.414 5
4.700 0	0.002 6	0.213 3	0.133 5	−0.071 3	−0.239 7	−0.387 7
4.800 0	−0.018 2	0.203 7	0.145 6	−0.052 1	−0.221 6	−0.363 3
4.900 0	−0.038 1	0.192 7	0.156 1	−0.033 5	−0.203 9	−0.341 0
5.000 0	−0.056 7	0.180 4	0.165 0	−0.015 4	−0.186 6	−0.320 5
5.100 0	−0.074 1	0.167 0	0.172 3	0.002 0	−0.169 6	−0.301 3
5.200 0	−0.090 1	0.152 6	0.178 1	0.018 7	−0.152 9	−0.283 4
5.300 0	−0.104 6	0.137 3	0.182 3	0.034 7	−0.136 5	−0.266 5

续表

x	$N_0(x)$	$N_1(x)$	$N_2(x)$	$N_3(x)$	$N_4(x)$	$N_5(x)$
5.400 0	−0.117 5	0.121 3	0.184 9	0.049 9	−0.120 3	−0.250 3
5.500 0	−0.128 8	0.104 9	0.186 0	0.064 3	−0.104 2	−0.234 8
5.600 0	−0.138 5	0.088 0	0.185 6	0.077 7	−0.088 4	−0.219 9
5.700 0	−0.146 4	0.070 9	0.183 8	0.090 3	−0.072 9	−0.205 4
5.800 0	−0.152 7	0.053 8	0.180 5	0.101 8	−0.057 6	−0.191 2
5.900 0	−0.157 2	0.036 7	0.175 9	0.112 3	−0.042 6	−0.177 3
6.000 0	−0.160 0	0.019 9	0.170 0	0.121 7	−0.027 9	−0.163 7
6.100 0	−0.161 2	0.003 4	0.162 9	0.130 1	−0.013 6	−0.150 2
6.200 0	−0.160 7	−0.012 5	0.154 7	0.137 3	0.000 3	−0.136 8
6.300 0	−0.158 7	−0.027 9	0.145 4	0.143 3	0.013 8	−0.123 6
6.400 0	−0.155 2	−0.042 5	0.135 3	0.148 1	0.026 8	−0.110 5
6.500 0	−0.150 2	−0.056 2	0.124 3	0.151 8	0.039 2	−0.097 5
6.600 0	−0.144 0	−0.069 0	0.112 6	0.154 3	0.051 1	−0.084 7
6.700 0	−0.136 5	−0.080 8	0.100 3	0.155 6	0.062 3	−0.071 9
6.800 0	−0.127 9	−0.091 5	0.087 5	0.155 8	0.072 9	−0.059 3
6.900 0	−0.118 2	−0.101 0	0.074 3	0.154 8	0.082 7	−0.046 9
7.000 0	−0.107 7	−0.109 2	0.060 9	0.152 7	0.091 8	−0.034 6
7.100 0	−0.096 4	−0.116 3	0.047 3	0.149 6	0.100 2	−0.022 6

续表

x	$N_0(x)$	$N_1(x)$	$N_2(x)$	$N_3(x)$	$N_4(x)$	$N_5(x)$
7.200 0	−0.084 5	−0.122 0	0.033 7	0.145 4	0.107 6	−0.010 8
7.300 0	−0.072 1	−0.126 4	0.020 1	0.140 2	0.114 3	0.000 7
7.400 0	−0.059 3	−0.129 5	0.006 8	0.134 0	0.120 0	0.011 9
7.500 0	−0.046 2	−0.131 2	−0.006 3	0.127 0	0.124 9	0.022 8
7.600 0	−0.033 1	−0.131 7	−0.018 9	0.119 3	0.128 8	0.033 2
7.700 0	−0.019 9	−0.130 9	−0.031 1	0.110 7	0.131 8	0.043 3
7.800 0	−0.006 9	−0.128 9	−0.042 7	0.101 6	0.133 8	0.052 8
7.900 0	0.005 8	−0.125 7	−0.053 6	0.091 8	0.134 9	0.061 9
8.000 0	0.018 2	−0.121 4	−0.063 7	0.081 6	0.135 1	0.070 4
8.100 0	0.030 1	−0.116 0	−0.073 0	0.070 9	0.134 3	0.078 3
8.200 0	0.041 4	−0.109 7	−0.081 5	0.060 0	0.132 7	0.085 7
8.300 0	0.052 0	−0.102 4	−0.089 0	0.048 8	0.130 2	0.092 3
8.400 0	0.061 8	−0.094 4	−0.095 5	0.037 5	0.126 8	0.098 3
8.500 0	0.070 8	−0.085 6	−0.101 0	0.026 2	0.122 6	0.103 6
8.600 0	0.078 9	−0.076 2	−0.105 5	0.014 9	0.117 6	0.108 2
8.700 0	0.086 1	−0.066 3	−0.108 9	0.003 7	0.111 9	0.112 1
8.800 0	0.092 2	−0.056 0	−0.111 3	−0.007 2	0.105 5	0.115 1
8.900 0	0.097 2	−0.045 4	−0.112 5	−0.017 9	0.098 5	0.117 5

续表

x	$N_0(x)$	$N_1(x)$	$N_2(x)$	$N_3(x)$	$N_4(x)$	$N_5(x)$
9.000 0	0.101 2	$-0.034\ 5$	$-0.112\ 8$	$-0.028\ 1$	0.090 9	0.119 0
9.100 0	0.104 1	$-0.023\ 6$	$-0.111\ 9$	$-0.037\ 9$	0.082 8	0.119 8
9.200 0	0.106 0	$-0.012\ 7$	$-0.110\ 1$	$-0.047\ 1$	0.074 2	0.119 8
9.300 0	0.106 7	$-0.001\ 9$	$-0.107\ 3$	$-0.055\ 8$	0.065 3	0.119 0
9.400 0	0.106 4	0.008 7	$-0.103\ 6$	$-0.063\ 8$	0.056 1	0.117 5
9.500 0	0.105 0	0.019 0	$-0.099\ 0$	$-0.071\ 1$	0.046 6	0.115 2
9.600 0	0.102 6	0.028 8	$-0.093\ 6$	$-0.077\ 6$	0.037 0	0.112 3
9.700 0	0.099 2	0.038 2	$-0.087\ 4$	$-0.083\ 3$	0.027 3	0.108 6
9.880 0	0.094 9	0.047 1	$-0.080\ 5$	$-0.088\ 2$	0.017 5	0.104 3
9.900 0	0.089 8	0.055 3	$-0.073\ 1$	$-0.092\ 2$	0.007 9	0.099 4
10.000 0	0.083 9	0.062 8	$-0.065\ 1$	$-0.095\ 3$	$-0.001\ 7$	0.093 8
10.100 0	0.077 3	0.069 5	$-0.056\ 6$	$-0.097\ 6$	$-0.011\ 0$	0.087 8
10.200 0	0.070 0	0.075 5	$-0.047\ 8$	$-0.098\ 9$	$-0.020\ 1$	0.081 2
10.300 0	0.062 2	0.080 6	$-0.038\ 7$	$-0.099\ 4$	$-0.028\ 8$	0.074 2
10.400 0	0.053 9	0.084 8	$-0.029\ 5$	$-0.099\ 0$	$-0.037\ 1$	0.066 8
10.500 0	0.045 3	0.088 1	$-0.020\ 1$	$-0.097\ 7$	$-0.045\ 0$	0.059 1
10.600 0	0.036 4	0.090 5	$-0.010\ 7$	$-0.095\ 6$	$-0.052\ 4$	0.051 1
10.700 0	0.027 2	0.091 9	$-0.001\ 4$	$-0.092\ 6$	$-0.059\ 2$	0.042 9

续表

x	$N_0(x)$	$N_1(x)$	$N_2(x)$	$N_3(x)$	$N_4(x)$	$N_5(x)$
10.800 0	0.018 0	0.092 5	0.007 7	−0.088 9	−0.065 3	0.034 5
10.900 0	0.008 8	0.092 1	0.016 6	−0.084 5	−0.070 9	0.026 0
11.000 0	−0.000 4	0.090 9	0.025 2	−0.079 4	−0.075 7	0.017 5
11.100 0	−0.009 4	0.088 8	0.033 4	−0.073 7	−0.079 9	0.009 0
11.200 0	−0.018 1	0.085 8	0.041 1	−0.067 5	−0.083 3	0.000 5
11.300 0	−0.026 5	0.082 1	0.048 3	−0.060 7	−0.085 9	−0.007 7
11.400 0	−0.034 5	0.077 6	0.054 9	−0.053 5	−0.087 8	−0.015 8
11.500 0	−0.042 0	0.072 5	0.060 9	−0.046 0	−0.088 9	−0.023 6
11.600 0	−0.049 0	0.066 7	0.066 2	−0.038 2	−0.089 3	−0.031 1
11.700 0	−0.055 4	0.060 4	0.070 8	−0.030 1	−0.088 9	−0.038 2
11.800 0	−0.061 1	0.053 6	0.074 7	−0.022 0	−0.087 7	−0.044 9
11.900 0	−0.066 1	0.046 4	0.077 8	−0.013 7	−0.085 8	−0.051 2
12.000 0	−0.070 3	0.038 9	0.080 0	−0.005 5	−0.083 2	−0.056 9
12.100 0	−0.073 8	0.031 1	0.081 5	0.002 6	−0.080 0	−0.062 1
12.200 0	−0.076 5	0.023 1	0.082 2	0.010 6	−0.076 1	−0.066 8
12.300 0	−0.078 4	0.015 0	0.082 1	0.018 3	−0.071 7	−0.070 8
12.400 0	−0.079 5	0.006 9	0.081 2	0.025 8	−0.066 6	−0.074 2

附录四　勒让德多项式的图和表

1. 勒让德多项式的一些图

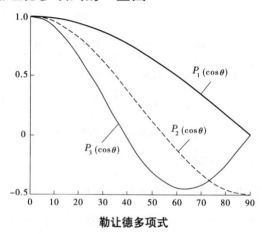

勒让德多项式

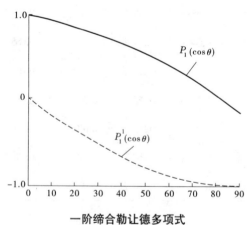

一阶缔合勒让德多项式

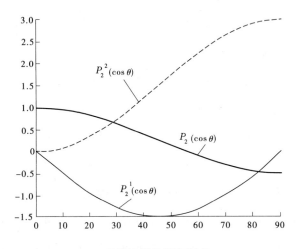

二阶缔合勒让德多项式

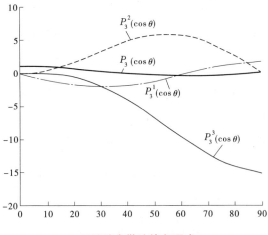

三阶缔合勒让德多项式

2. 勒让德多项式表

θ	P_0	$P_1(\cos\theta)$	$P_2(\cos\theta)$	$P_3(\cos\theta)$	$P_4(\cos\theta)$	$P_5(\cos\theta)$	$P_6(\cos\theta)$
0	1.000 0	1.000 0	1.000 0	1.000 0	1.000 0	1.000 0	1.000 0
1.000 0	1.000 0	0.999 8	0.999 5	0.999 1	0.998 5	0.997 7	0.996 8
2.000 0	1.000 0	0.999 4	0.998 2	0.996 3	0.993 9	0.990 9	0.987 2
3.000 0	1.000 0	0.998 6	0.995 9	0.991 8	0.986 3	0.979 5	0.971 4
4.000 0	1.000 0	0.997 6	0.992 7	0.985 4	0.975 8	0.963 8	0.949 5
5.000 0	1.000 0	0.996 2	0.988 6	0.977 3	0.962 3	0.943 7	0.921 6
6.000 0	1.000 0	0.994 5	0.983 6	0.967 4	0.945 9	0.919 4	0.888 1
7.000 0	1.000 0	0.992 5	0.977 7	0.955 7	0.926 7	0.891 1	0.849 2
8.000 0	1.000 0	0.990 3	0.970 9	0.942 3	0.904 8	0.858 9	0.805 4
9.000 0	1.000 0	0.987 7	0.963 3	0.927 3	0.880 8	0.823 2	0.757 0
10.000 0	1.000 0	0.984 8	0.954 8	0.910 6	0.853 2	0.784 0	0.704 5
11.000 0	1.000 0	0.981 6	0.945 4	0.892 3	0.823 8	0.741 7	0.648 3
12.000 0	1.000 0	0.978 1	0.935 2	0.872 4	0.792 0	0.696 6	0.589 1
13.000 0	1.000 0	0.974 4	0.924 1	0.851 1	0.758 2	0.648 9	0.527 3
14.000 0	1.000 0	0.970 3	0.912 2	0.828 3	0.722 4	0.599 0	0.463 5
15.000 0	1.000 0	0.965 9	0.899 5	0.804 2	0.684 7	0.547 1	0.398 3
16.000 0	1.000 0	0.961 3	0.886 0	0.778 7	0.645 4	0.493 7	0.332 3
17.000 0	1.000 0	0.956 3	0.871 8	0.751 9	0.604 6	0.439 1	0.266 1

续表

θ	P_0	$P_1(\cos\theta)$	$P_2(\cos\theta)$	$P_3(\cos\theta)$	$P_4(\cos\theta)$	$P_5(\cos\theta)$	$P_6(\cos\theta)$
18.000 0	1.000 0	0.951 1	0.856 8	0.724 0	0.562 4	0.383 6	0.200 2
19.000 0	1.000 0	0.945 5	0.841 0	0.695 0	0.519 2	0.327 6	0.135 3
20.000 0	1.000 0	0.939 7	0.824 5	0.664 9	0.475 0	0.271 5	0.071 9
21.000 0	1.000 0	0.933 6	0.807 4	0.633 8	0.430 0	0.215 6	0.010 6
22.000 0	1.000 0	0.927 2	0.789 5	0.601 9	0.384 5	0.160 2	$-0.048\ 1$
23.000 0	1.000 0	0.920 5	0.771 0	0.569 2	0.338 6	0.105 7	$-0.103\ 8$
24.000 0	1.000 0	0.913 5	0.751 8	0.535 7	0.292 6	0.052 5	$-0.155\ 8$
25.000 0	1.000 0	0.906 3	0.732 1	0.501 6	0.246 5	0.000 9	$-0.204\ 0$
26.000 0	1.000 0	0.898 8	0.711 7	0.467 0	0.200 7	$-0.048\ 9$	$-0.247\ 8$
27.000 0	1.000 0	0.891 0	0.690 8	0.431 9	0.155 3	$-0.096\ 4$	$-0.286\ 9$
28.000 0	1.000 0	0.882 9	0.669 4	0.396 4	0.110 5	$-0.141\ 5$	$-0.321\ 2$
29.000 0	1.000 0	0.874 6	0.647 4	0.360 7	0.066 5	$-0.183\ 9$	$-0.350\ 2$
30.000 0	1.000 0	0.866 0	0.625 0	0.324 8	0.023 4	$-0.223\ 3$	$-0.374\ 0$
31.000 0	1.000 0	0.857 2	0.602 1	0.288 7	$-0.018\ 5$	$-0.259\ 5$	$-0.392\ 4$
32.000 0	1.000 0	0.848 0	0.578 8	0.252 7	$-0.059\ 1$	$-0.292\ 3$	$-0.405\ 3$
33.000 0	1.000 0	0.838 7	0.555 1	0.216 7	$-0.098\ 2$	$-0.321\ 6$	$-0.412\ 7$
34.000 0	1.000 0	0.829 0	0.531 0	0.180 9	$-0.135\ 7$	$-0.347\ 3$	$-0.414\ 7$
35.000 0	1.000 0	0.819 2	0.506 5	0.145 4	$-0.171\ 4$	$-0.369\ 1$	$-0.411\ 4$
36.000 0	1.000 0	0.809 0	0.481 8	0.110 2	$-0.205\ 2$	$-0.387\ 1$	$-0.403\ 1$

续表

θ	P_0	$P_1(\cos\theta)$	$P_2(\cos\theta)$	$P_3(\cos\theta)$	$P_4(\cos\theta)$	$P_5(\cos\theta)$	$P_6(\cos\theta)$
37.000 0	1.000 0	0.798 6	0.456 7	0.075 5	$-0.237\ 0$	$-0.401\ 1$	$-0.389\ 8$
38.000 0	1.000 0	0.788 0	0.431 4	0.041 3	$-0.266\ 6$	$-0.411\ 2$	$-0.371\ 9$
39.000 0	1.000 0	0.777 1	0.405 9	0.007 7	$-0.294\ 0$	$-0.417\ 4$	$-0.349\ 7$
40.000 0	1.000 0	0.766 0	0.380 2	$-0.025\ 2$	$-0.319\ 0$	$-0.419\ 7$	$-0.323\ 6$
41.000 0	1.000 0	0.754 7	0.354 4	$-0.057\ 4$	$-0.341\ 6$	$-0.418\ 1$	$-0.293\ 9$
42.000 0	1.000 0	0.743 1	0.328 4	$-0.088\ 7$	$-0.361\ 6$	$-0.412\ 8$	$-0.261\ 0$
43.000 0	1.000 0	0.731 4	0.302 3	$-0.119\ 1$	$-0.379\ 1$	$-0.403\ 8$	$-0.225\ 5$
44.000 0	1.000 0	0.719 3	0.276 2	$-0.148\ 5$	$-0.394\ 0$	$-0.391\ 4$	$-0.187\ 8$
45.000 0	1.000 0	0.707 1	0.250 0	$-0.176\ 8$	$-0.406\ 2$	$-0.375\ 7$	$-0.148\ 4$
46.000 0	1.000 0	0.694 7	0.223 8	$-0.204\ 0$	$-0.415\ 8$	$-0.356\ 8$	$-0.107\ 8$
47.000 0	1.000 0	0.682 0	0.197 7	$-0.230\ 0$	$-0.422\ 7$	$-0.335\ 0$	$-0.066\ 5$
48.000 0	1.000 0	0.669 1	0.171 6	$-0.254\ 7$	$-0.427\ 0$	$-0.310\ 5$	$-0.025\ 1$
49.000 0	1.000 0	0.656 1	0.145 6	$-0.278\ 1$	$-0.428\ 6$	$-0.283\ 6$	0.016 1
50.000 0	1.000 0	0.642 8	0.119 8	$-0.300\ 2$	$-0.427\ 5$	$-0.254\ 5$	0.056 4
51.000 0	1.000 0	0.629 3	0.094 1	$-0.320\ 9$	$-0.423\ 9$	$-0.223\ 5$	0.095 4
52.000 0	1.000 0	0.615 7	0.068 6	$-0.340\ 1$	$-0.417\ 8$	$-0.191\ 0$	0.132 6
53.000 0	1.000 0	0.601 8	0.043 3	$-0.357\ 8$	$-0.409\ 3$	$-0.157\ 1$	0.167 7
54.000 0	1.000 0	0.587 8	0.018 2	$-0.374\ 0$	$-0.398\ 4$	$-0.122\ 3$	0.200 2
55.000 0	1.000 0	0.573 6	$-0.006\ 5$	$-0.388\ 6$	$-0.385\ 2$	$-0.086\ 8$	0.229 7

续表

θ	P_0	$P_1(\cos\theta)$	$P_2(\cos\theta)$	$P_3(\cos\theta)$	$P_4(\cos\theta)$	$P_5(\cos\theta)$	$P_6(\cos\theta)$
56.000 0	1.000 0	0.559 2	$-0.031\ 0$	$-0.401\ 6$	$-0.369\ 8$	$-0.050\ 9$	0.256 0
57.000 0	1.000 0	0.544 6	$-0.055\ 1$	$-0.413\ 1$	$-0.352\ 4$	$-0.015\ 0$	0.278 7
58.000 0	1.000 0	0.529 9	$-0.078\ 8$	$-0.422\ 9$	$-0.333\ 1$	0.020 6	0.297 6
59.000 0	1.000 0	0.515 0	$-0.102\ 1$	$-0.431\ 0$	$-0.311\ 9$	0.055 7	0.312 5
60.000 0	1.000 0	0.500 0	$-0.125\ 0$	$-0.437\ 5$	$-0.289\ 1$	0.089 8	0.323 2
61.000 0	1.000 0	0.484 8	$-0.147\ 4$	$-0.442\ 3$	$-0.264\ 7$	0.122 9	0.329 8
62.000 0	1.000 0	0.469 5	$-0.169\ 4$	$-0.445\ 5$	$-0.239\ 0$	0.154 5	0.332 1
63.000 0	1.000 0	0.454 0	$-0.190\ 8$	$-0.447\ 1$	$-0.212\ 1$	0.184 4	0.330 2
64.000 0	1.000 0	0.438 4	$-0.211\ 7$	$-0.447\ 0$	$-0.184\ 1$	0.212 3	0.324 0
65.000 0	1.000 0	0.422 6	$-0.232\ 1$	$-0.445\ 2$	$-0.155\ 2$	0.238 1	0.313 8
66.000 0	1.000 0	0.406 7	$-0.251\ 8$	$-0.441\ 9$	$-0.125\ 6$	0.261 5	0.299 7
67.000 0	1.000 0	0.390 7	$-0.271\ 0$	$-0.437\ 0$	$-0.095\ 5$	0.282 4	0.281 9
68.000 0	1.000 0	0.374 6	$-0.289\ 5$	$-0.430\ 5$	$-0.065\ 1$	0.300 5	0.260 6
69.000 0	1.000 0	0.358 4	$-0.307\ 4$	$-0.422\ 5$	$-0.034\ 4$	0.315 8	0.236 2
70.000 0	1.000 0	0.342 0	$-0.324\ 5$	$-0.413\ 0$	$-0.003\ 8$	0.328 1	0.208 9
71.000 0	1.000 0	0.325 6	$-0.341\ 0$	$-0.402\ 1$	0.026 7	0.337 3	0.179 1
72.000 0	1.000 0	0.309 0	$-0.356\ 8$	$-0.389\ 8$	0.056 8	0.343 4	0.147 2
73.000 0	1.000 0	0.292 4	$-0.371\ 8$	$-0.376\ 1$	0.086 4	0.346 3	0.113 6
74.000 0	1.000 0	0.275 6	$-0.386\ 0$	$-0.361\ 1$	0.115 3	0.346 1	0.078 8

续表

θ	P_0	$P_1(\cos\theta)$	$P_2(\cos\theta)$	$P_3(\cos\theta)$	$P_4(\cos\theta)$	$P_5(\cos\theta)$	$P_6(\cos\theta)$
75.000 0	1.000 0	0.258 8	$-0.399\ 5$	$-0.344\ 9$	0.143 4	0.342 7	0.043 1
76.000 0	1.000 0	0.241 9	$-0.412\ 2$	$-0.327\ 5$	0.170 5	0.336 2	0.007 0
77.000 0	1.000 0	0.225 0	$-0.424\ 1$	$-0.309\ 0$	0.196 4	0.326 7	$-0.029\ 0$
78.000 0	1.000 0	0.207 9	$-0.435\ 2$	$-0.289\ 4$	0.221 1	0.314 3	$-0.064\ 4$
79.000 0	1.000 0	0.190 8	$-0.445\ 4$	$-0.268\ 8$	0.244 3	0.299 0	$-0.099\ 0$
80.000 0	1.000 0	0.173 6	$-0.454\ 8$	$-0.247\ 4$	0.265 9	0.281 0	$-0.132\ 1$
81.000 0	1.000 0	0.156 4	$-0.463\ 3$	$-0.225\ 1$	0.285 9	0.260 6	$-0.163\ 5$
82.000 0	1.000 0	0.139 2	$-0.470\ 9$	$-0.202\ 0$	0.304 0	0.237 8	$-0.192\ 7$
83.000 0	1.000 0	0.121 9	$-0.477\ 7$	$-0.178\ 3$	0.320 3	0.212 9	$-0.219\ 3$
84.000 0	1.000 0	0.104 5	$-0.483\ 6$	$-0.153\ 9$	0.334 5	0.186 1	$-0.243\ 1$
85.000 0	1.000 0	0.087 2	$-0.488\ 6$	$-0.129\ 1$	0.346 8	0.157 7	$-0.263\ 8$
86.000 0	1.000 0	0.069 8	$-0.492\ 7$	$-0.103\ 8$	0.356 9	0.127 8	$-0.281\ 0$
87.000 0	1.000 0	0.052 3	$-0.495\ 9$	$-0.078\ 1$	0.364 8	0.096 9	$-0.294\ 7$
88.000 0	1.000 0	0.034 9	$-0.498\ 2$	$-0.052\ 2$	0.370 4	0.065 1	$-0.304\ 5$
89.000 0	1.000 0	0.017 5	$-0.499\ 5$	$-0.026\ 2$	0.373 9	0.032 7	$-0.310\ 5$
90.000 0	1.000 0	0.000 0	$-0.500\ 0$	$-0.000\ 0$	0.375 0	0.000 0	$-0.312\ 5$

附录五　长旋转椭球函数

化式(2-32)为如下公式：

$$\begin{cases} x = \dfrac{d}{2}\left[(1-\eta^2)(\xi^2-1)\right]^{1/2}\cos\varphi \\[2mm] y = \dfrac{d}{2}\left[(1-\eta^2)(\xi^2-1)\right]^{1/2}\sin\varphi \\[2mm] z = \dfrac{d}{2}\eta\xi \end{cases} \tag{1}$$

其中 $-1\leqslant\eta\leqslant1,1\leqslant\xi<\infty,0\leqslant\varphi<2\pi$

在坐标(1)求解式(2-1)，则有：

$$\left[\frac{\partial}{\partial\eta}(1-\eta^2)\frac{\partial}{\partial\eta}+\frac{\partial}{\partial\xi}(\xi^2-1)\frac{\partial}{\partial\xi}+\right.$$
$$\left.\frac{\xi^2-\eta^2}{(\xi^2-1)(1-\eta^2)}\frac{\partial^2}{\partial\varphi^2}+\xi^2(\xi^2-\eta^2)\right]\psi=0 \tag{2}$$

令

$$c = \frac{1}{2}kd \tag{3}$$

求解式(2)可得一解为：

$$\psi_{mn} = S_{mn}(c,\eta)R_{mn}(c,\xi)\begin{cases}\cos(m\varphi)\\\sin(m\varphi)\end{cases} \tag{4}$$

其中 $S_{mn}(c,\eta)$ 和 $R_{mn}(c,\zeta)$ 满足下面两个方程：

$$\frac{\mathrm{d}}{\mathrm{d}\eta}\left[(1-\eta^2)\frac{\mathrm{d}}{\mathrm{d}\eta}S_{mn}(c,\eta)\right]+\left[\lambda_{mn}-c^2\eta^2-\frac{m^2}{1-\eta^2}\right]S_{mn}(c,\eta)=0 \tag{5}$$

$$\frac{\mathrm{d}}{\mathrm{d}\xi}\left[(\xi^2-1)\frac{\mathrm{d}}{\mathrm{d}\xi}R_{mn}(c,\eta)\right]+\left[\lambda_{mn}-c^2\eta^2-\frac{m^2}{1-\eta^2}\right]S_{mn}(c,\xi)=0 \tag{6}$$

其中 $S_{mn}(c,\eta)$ 和 $R_{mn}(c,\xi)$ 可以改写为：

$$\left. \begin{aligned} S_{mn}(c,\eta) &= \sum_{r=0,1}^{\infty} d_r^{mn}(c) P_{m+r}^m(\eta) \\ R_{mn}(c,\xi) &= \frac{1}{\sum\limits_{r=0,1}^{\infty} d_r^{mn}(c) \dfrac{(2m+r)!}{r!}} \left(\frac{\xi^2-1}{\xi^2}\right)^{m/2} \times \\ &\quad \sum_{r=0,1}^{\infty} i^{r+m-n} d_r^{mn}(c) \frac{(2m+r)!}{r!} j_{m+r}(c\xi) \end{aligned} \right\} \quad (7)$$

长旋转椭球的角函数值(一)

θ \\ c	$S_{00}(c,\cos\theta)$					$S_{01}(c,\cos\theta)$				
	1	2	3	4	5	1	2	3	4	5
0	0.848 1	0.531 5	0.267 5	0.119 4	0.502 4	0.904 6	0.668 1	0.403 4	0.204 2	0.916 1
5	0.849 2	0.534 4	0.271 0	0.122 3	0.522 4	0.901 8	0.667 7	0.405 0	0.206 6	0.937 2
10	0.852 5	0.543 1	0.281 5	0.131 2	0.584 5	0.893 6	0.666 5	0.409 9	0.213 8	0.100 1
15	0.857 8	0.557 4	0.299 2	0.146 5	0.694 2	0.879 7	0.664 1	0.417 6	0.225 5	0.110 9
20	0.865 1	0.577 2	0.324 2	0.168 9	0.860 9	0.860 2	0.659 8	0.427 3	0.241 5	0.126 2
25	0.874 2	0.602 2	0.356 7	0.199 1	0.109 7	0.834 8	0.653 1	0.438 2	0.261 1	0.146 1
30	0.884 7	0.632 0	0.396 7	0.237 9	0.141 9	0.803 5	0.642 9	0.448 9	0.283 3	0.170 3
35	0.896 4	0.665 9	0.443 9	0.286 2	0.189 3	0.766 1	0.628 2	0.457 8	0.306 8	0.198 1
40	0.909 1	0.703 2	0.498 0	0.344 2	0.238 0	0.722 5	0.608 1	0.463 0	0.329 4	0.227 9
45	0.922 2	0.743 0	0.558 0	0.412 0	0.304 6	0.672 8	0.581 4	0.462 5	0.348 7	0.257 6
50	0.935 4	0.784 2	0.622 6	0.488 5	0.383 9	0.616 9	0.547 2	0.454 3	0.361 8	0.284 0
55	0.948 4	0.825 5	0.689 8	0.571 8	0.474 8	0.555 1	0.504 9	0.436 2	0.365 4	0.303 0
60	0.960 6	0.865 4	0.757 1	0.658 9	0.574 2	0.487 8	0.454 0	0.406 8	0.356 6	0.310 4
65	0.971 8	0.902 6	0.821 7	0.745 6	0.677 3	0.415 2	0.394 6	0.365 1	0.332 9	0.302 1
70	0.981 5	0.935 5	0.880 5	0.827 1	0.777 6	0.338 1	0.327 0	0.311 0	0.292 9	0.275 2
75	0.989 4	0.962 7	0.930 2	0.898 0	0.867 3	0.257 1	0.252 3	0.245 2	0.237 0	0.228 8
80	0.995 2	0.983 1	0.968 2	0.953 0	0.938 3	0.173 1	0.171 7	0.169 5	0.166 9	0.164 3
85	0.998 8	0.995 7	0.991 9	0.988 0	0.984 2	0.870 9	0.869 1	0.866 3	0.863 0	0.859 6
90	1.000 0	1.000 0	1.000 0	1.000 0	1.000 0	0	0	0	0	0

长旋转椭球的角函数值(二)

θ \ c	$S_{02}(c,\cos\theta)$					$S_{03}(c,\cos\theta)$				
	1	2	3	4	5	1	2	3	4	5
0	0.102 2	0.106 4	0.104 1	0.873 0	0.601 8	0.989 2	0.959 0	0.909 0	0.819 7	0.665 0
5	0.101 1	0.105 5	0.103 7	0.874 1	0.607 3	0.967 6	0.940 7	0.895 3	0.811 8	0.662 9
10	0.979 5	0.103 0	0.102 3	0.876 8	0.623 3	0.904 2	0.886 4	0.854 6	0.787 7	0.656 0
15	0.927 0	0.987 0	0.999 4	0.879 3	0.648 2	0.802 6	0.798 6	0.787 6	0.747 3	0.642 2
20	0.855 3	0.927 1	0.964 0	0.878 7	0.679 2	0.669 2	0.681 6	0.695 7	0.686 8	0.618 3
25	0.766 3	0.850 5	0.914 7	0.871 0	0.712 0	0.511 8	0.541 0	0.581 4	0.607 6	0.580 4
30	0.662 1	0.757 9	0.849 7	0.851 3	0.740 7	0.340 0	0.384 0	0.448 5	0.508 7	0.524 5
35	0.545 5	0.650 3	0.767 1	0.814 3	0.757 5	0.164 3	0.219 2	0.302 3	0.391 3	0.447 4
40	0.419 8	0.529 6	0.666 0	0.754 9	0.753 7	$-0.454\ 1$	0.560 2	0.150 1	0.259 1	0.348 2
45	0.288 5	0.398 4	0.546 4	0.669 2	0.720 2	$-0.156\ 2$	$-0.956\ 5$	0.512 6	0.118 4	0.229 2
50	0.155 6	0.260 2	0.410 4	0.555 3	0.649 4	$-0.281\ 6$	$-0.226\ 1$	$-0.136\ 4$	$-0.214\ 5$	0.970 9
55	0.251 0	0.119 3	0.261 7	0.414 2	0.537 0	$-0.373\ 1$	$-0.326\ 8$	$-0.250\ 4$	$-0.148\ 9$	$-0.368\ 3$
60	$-0.987\ 6$	$-0.192\ 4$	0.106 1	0.251 2	0.384 4	$-0.425\ 9$	$-0.390\ 7$	$-0.331\ 9$	$-0.251\ 4$	$-0.157\ 5$
65	$-0.211\ 9$	$-0.149\ 9$	$-0.487\ 2$	0.755 6	0.200 4	$-0.437\ 4$	$-0.413\ 8$	$-0.373\ 6$	$-0.317\ 1$	$-0.248\ 5$
70	$-0.310\ 5$	$-0.266\ 8$	$-0.193\ 8$	$-0.998\ 3$	0.793 3	$-0.408\ 5$	$-0.394\ 9$	$-0.371\ 4$	$-0.337\ 6$	$-0.295\ 2$
75	$-0.391\ 1$	$-0.364\ 7$	$-0.319\ 6$	$-0.259\ 6$	$-0.192\ 3$	$-0.342\ 8$	$-0.336\ 5$	$-0.325\ 5$	$-0.309\ 5$	$-0.288\ 8$
80	$-0.450\ 9$	$-0.438\ 5$	$-0.417\ 1$	$-0.387\ 9$	$-0.354\ 2$	$-0.246\ 7$	$-0.244\ 7$	$-0.241\ 2$	$-0.236\ 1$	$-0.229\ 3$
85	$-0.487\ 6$	$-0.484\ 4$	$-0.478\ 8$	$-0.471\ 2$	$-0.462\ 2$	$-0.129\ 0$	$-0.128\ 7$	$-0.128\ 3$	$-0.127\ 6$	$-0.126\ 7$
90	$-0.500\ 0$	$-0.500\ 0$	$-0.500\ 0$	$-0.500\ 0$	$-0.500\ 0$	0	0	0	0	0

长旋转椭球的径向函数值(一)

ξ c	$R_{00}(c,\xi)$				$R_{01}(c,\xi)$			
	1.005	1.020	1.044	1.077	1.005	1.020	1.044	1.077
0.5	0.986 0	0.984 7	0.982 7	0.979 8	0.165 0	0.176 3	0.171 0	0.176 1
1.0	0.946 8	0.941 9	0.933 9	0.922 8	0.315 3	0.319 0	0.324 9	0.332 8
1.5	0.890 1	0.879 5	0.862 4	0.838 6	0.439 2	0.442 4	0.447 6	0.454 2
2.0	0.825 7	0.807 7	0.778 9	0.739 2	0.528 9	0.529 8	0.530 8	0.531 1
2.5	0.761 5	0.734 9	0.692 5	0.635 1	0.583 4	0.579 6	0.572 9	0.562 2
3.0	0.702 6	0.666 2	0.609 1	0.330 0	0.606 4	0.596 0	0.578 6	0.552 9
3.5	0.650 6	0.603 6	0.531 0	0.436 4	0.605 0	0.586 9	0.556 4	0.513 2
4.0	0.605 4	0.547 1	0.458 5	0.346 3	0.589 2	0.561 2	0.516 2	0.454 2
4.5	0.566 1	0.495 9	0.391 4	0.263 1	0.565 1	0.526 8	0.466 3	0.385 5
5.0	0.531 3	0.448 8	0.328 7	0.186 9	0.538 1	0.488 8	0.412 5	0.313 7

长旋转椭球的径向函数值(二)

ξ / c	$R_{02}(c,\xi)$				$R_{03}(c,\xi)$			
	1.005	1.020	1.044	1.077	1.005	1.020	1.044	1.077
0.5	0.112 6	0.117 5	0.125 6	0.137 0	0.490 2	0.533 9	0.607 2	0.714 6
1.0	0.447 0	0.465 5	0.495 4	0.537 3	0.391 2	0.424 9	0.481 4	0.563 8
1.5	0.988 1	0.102 5	0.108 3	0.116 5	0.131 4	0.142 1	0.159 9	0.185 8
2.0	0.169 6	0.174 9	0.183 3	0.194 7	0.308 5	0.331 7	0.370 0	0.424 9
2.5	0.249 8	0.255 8	0.265 1	0.277 2	0.592 6	0.632 5	0.697 7	0.789 6
3.0	0.329 5	0.334 6	0.342 1	0.350 9	0.995 6	0.105 4	0.114 7	0.127 5
3.5	0.398 8	0.401 0	0.403 3	0.404 0	0.151 1	0.158 3	0.169 7	0.184 7
4.0	0.450 7	0.447 7	0.441 3	0.429 3	0.210 7	0.218 3	0.229 8	0.244 3
4.5	0.482 3	0.472 1	0.454 1	0.425 8	0.272 5	0.278 9	0.287 9	0.297 6
5.0	0.495 2	0.476 3	0.444 4	0.397 6	0.329 8	0.332 9	0.336 0	0.336 2

参 考 文 献

[1] Ciskowski R D, Brebbia C A. Boundary Element Methods in Acoustics. Computation Mechanics Publications (Southampton Boston), Co-Published with Elsevier Applied Science (London, New York), 1991

[2] 杨瑞梁,汪鸿振. 声无限元进展. 机械工程学报, 2003,39(11): 82~87

[3] 杨瑞梁. 声无限元法的研究:[博士论文]. 上海:上海交通大学,2004

[4] Koopmann G, Song L, Fahnline J. A method for computing acoustic fields based on the principle of wave superposition J. Acoust. Soc. Am. 1989(86). 2433~2438

[5] Song L, Koopmann G, Fahnline J. Numerical errors associated with the method of superposition for computing acoustic fields. J. Acoust. Soc. Am. 1991,89: 2625~2633

[6] Song L, Koopmann G, Fahnline J. Active control of the acoustic radiation of a vibrationg structiure using a superposition formulation. J. Acoust. Soc. Am. 1991,89:2789~2792

[7] John B, Fahnline, Gary H, Koopmann. A numerical solution for the general radiation problem based on the combined methods of superposition. J. Acoust. Soc. Am. 1991, 90(5): 2808~2819

[8] Turchin V P, Malkevich M S. The use of mathematical statistics methods in the solution of incorrectly posed problems. Soviet Physics Uspekhi, 1997 (13):681~703

[9] Williams E G, Dardy H D, Fink R G. Nearfield acoustical holography using an underwater, automated scanner. J. Acoust. Soc. Am. 1985,78:789~798

[10] Maynard J D, Williams E G, lee Y. Nearfield acoustical holography: I theory of generalized holography and the development of NAH. J. Acoust. Soc. Am. 1985,78:1395~1413

[11] Veronesi W A, Maynard J D. Nearfield acoustical holography (NAH):

I. Holographic reconstruction algorithms and computer implementation. J. Acoust. Soc. Am. 1987, 81: 1307~1322

[12] Williams E G, Dardy H D, Washburn K B. Generalized near field acoustical holography for cylindrical geometry: Theory and experiment. J. Acoust. Soc. Am. 1987, 81: 389~407

[13] Boriotti G, et al. Conformal generalized near-field acoustic holography for axisymmetric geometries, J. Acoust. Soc. Am. 1990(88): 199~209

[14] Loyau T, Pascal J C. Broadband acoustic holography reconstruction from acoustic intensity measurements. I: Principle of the method. J. Acoust. Soc. Am. 1988, 84: 1744~1755

[15] Veronesi W A, Maynard J D. Digital holographic reconstruction of sources with arbitrarily shaped surfaces. J. Acoust. Soc. Am. 1989, 85: 588~598

[16] Angie Sarkissian. Near-field acoustic holography for an axisymmetric geometry: A new formulation. J. Acoust. Soc. Am. 1990, 88: 961~966

[17] Angie Sarkissian. Acoustic radiation from finite strures. J. Acoust. Soc. Am. 1991, 90: 574~578

[18] Angie Sarkissian. Reconstruction of the acoustic field on radiating structures, J. Acoust. Soc. Am. 1992, 92: 825~830

[19] 张德俊, 等. 近场声全息成像方法的研究. 声学学报, 1992, 17(6): 436~445

[20] 王群. 近场声全息成像的实验与算法研究: [理学硕士学位论文]. 武汉: 中国科学院武汉物理所, 1992

[21] 张德俊, 等. 振动体及其辐射场的近场声全息实验研究. 声学学报, 1995, 20(4): 250~255

[22] Petyt M, Lea J, Koopmann G H. A finite element method for determining the acoustic modes of irregular shaped cavities Journal of Sound and Vibration, 1976(45): 495~502

[23] Suzuki S, Imai M, Sishiyama. Anoise level predicting and reducting computer code Proceedings of Boundary Element Methods. 1987(8): 105~114

[24] Kim G T, Lee B H. 3-D sound source reconstruction, and field repredicticion using the heprediction using the helmholtz integral eguation Journal of

Sound and Vibration. 1990,136(2): 245~261

[25] Bai M R. Application of BEM(boundary element method)-based acoustic holography to radiation analysis of sound sources with arbitrarily shaped geometries. J. Acoust. Soc. Am. 1992,92: 533~549

[26] Angie Sarkissian Reconstruction of the surface acoustic field on radiating structures. J. Acoust. Soc. Am. 1992,92 (1):825~830

[27] Bong-ki Kim, Jeong-Guon Ih. On the reconstuction of the vibro-acoustic field over the surface enclosing an interior space using the boundary element method. J. Acoust. Soc. Am. Vol. 1996,100(5): 3003~3016

[28] Yei-Chin Chao. A implicit least-squremethod for the inverse problem of coustic radiation. J. Acoust. Soc. Am. 1987, 81(5): 1266~1292

[29] Gardner B K ,Bernhard R L. A noise source identification technique using an inverse Helmholtz integral equation method, Trans. ASME. J. Vib. Acoust. Stress, 1988, 110 :84~90

[30] 张桃红. 全特解场边界元法在声辐射逆问题中的探讨:[工学硕士论文]. 南京:江苏理工大学,1999

[31] Wang Zhaoxi, Wu S F. Helmholtz equation-least-squares method for reconstructing the acoustic pressure field. J. Acoust. Soc. Am. 1997,102(4): 2020~2032

[32] Wu S F, Yu Jingyou. Reconstructing interior acoustic pressure fields via Helmholtz equation least-squares method. J. Acoust. Soc. Am. 1998, 104 (4): 2054~2060

[33] Wu S F. On reconstruction of acoustic pressures radiated from complex vibrating structures. J. Acoust. Soc. Am. 2000,107(5): 2511~2522

[34] Rayess N, Wu S F. Experimental validations of the HELS method for reconstructing acoustic radiation from a complex vibrating structure. J. Acoust. Soc. Am. 2000,107(6):2955~2964

[35] Wu S F,Rayess N. Visualizing sound radiation from a vehicle front end using the HELS method. Journal of Sound and Vibration, 2001, 248(5): 963~974

[36] Isakov V,Wu S F. On theory and applications of the HELS method in in-

verse acoustics. Inverse Problem, 2002(18): 1147~1159

[37] Wu S F, Zhao X. Combined Helmholtz equation-least squares method for reconstructing acoustic radiation from arbitrarily shaped objects. J. Acoust. Soc. Am. 2002, 112(1): 179~188

[38] Wu S F, Wang Z. Noise diagnostic system. U.S. Patent Number 5,712, 805, January 27, 1998

[39] Wu S F, Hu Q. System and method for predicting sound radiation and scattering from an arbitrarily shaped object. U.S. Patent Number 5,886,264, March 23, 1999

[40] Wu S F. Method and apparatus for reconstructing an acoustic field. U.S. Patent Reference No. 67,021-001, March 1, 2001

[41] Liberstein, H. zm. A continuous method in numerical analysis applied to examples from a new class of boundary value problems, Mathematical Research Center Technical Summary Report, 1960. 175(University of Wisconsin, Madison, WI)

[42] Elliot S J. Power output minimization and power absorption in the active control of sound. J. Acoust. Soc. Am. 1991, 90(5):2501~2512

[43] Fuller C R. Active control of transmission/radiation from elastic plates by vibration input: I analysis. J Sound Vib. 1990(136):1~15

[44] 应怀樵. 现代振动噪声控制学. 北京:航空工业出版社,2000

[45] [美]莫尔斯,等. 理论声学. 吕如榆,等译. 北京:科学出版社,1984

[46] 杨瑞梁,姜哲. 对柱状声源声辐射逆问题的探讨. 江苏理工大学学报(自然科学版),2001,22(1):8~11

[47] 杨瑞梁,汪鸿振. 使用点源求解脉动球的声辐射逆问题时的精度分析. 声学技术,2002(4):165~167

[48] 杨瑞梁,汪鸿振. 用长旋转椭球函数重构声场. 噪声与振动控制,2003 (5):15~17

[49] 杨瑞梁,汪鸿振. 使用偶极子源求解声辐射逆问题. 声学技术,2001,20 (增刊):73~75

[50] Yang Ruiliang, Wang Hongzhen. A novel acoustic reconstructing method, Journal of ship mechanics, 2005,3(9),137~144

[51] 杨瑞梁,汪鸿振.快速噪声诊断的声场重构方法.中国专利,申请号:03129381.6,申请日期:2003-06-19,授权日期:2005-09-14

[52] Carson flamer, spheroidal wave functions. Stanford university press, Stanford, California, 1957

[53] Zhao X , Wu S F , Reconstruction of vibro-acoustic fields usinghybrid nearfield acoustic holography . Journal of Sound and Vibration , 2005,282:1183~1199

[54] Nassif E , Rayess . An investigation in acoustic holography using the Helmholtz equation-least squares method . wayne state university , doctor dissertation,2001

[55] 胡政,温熙森,陈循.基于小波变换的发动机噪声诊断.中国机械工程学报,2001,12(增刊):142~144

[56] 舒红宇,熊木权.车辆减振器噪声诊断的双谱分析法.重庆大学学报(自然科学版), 2005,28(3):1~3

[57] 陈文辉.液压齿轮油泵噪声的诊断与控制.安徽职业技术学院学报,2005,14(1).21~23

[58] 吕国志,李香莲,蒲琪,等.电机的听阈不悦噪声的诊断.机械科学与技术,2001,20(6):913~915

[59] 贾继德,孔凡让,刘永斌,等.发动机连杆轴承故障噪声诊断研究.农业机械学报,2005,36(6):87~91